U0100644

大展好書　好書大展

品嘗好書　冠群可期

大展好書　好書大展

品嘗好書　冠群可期

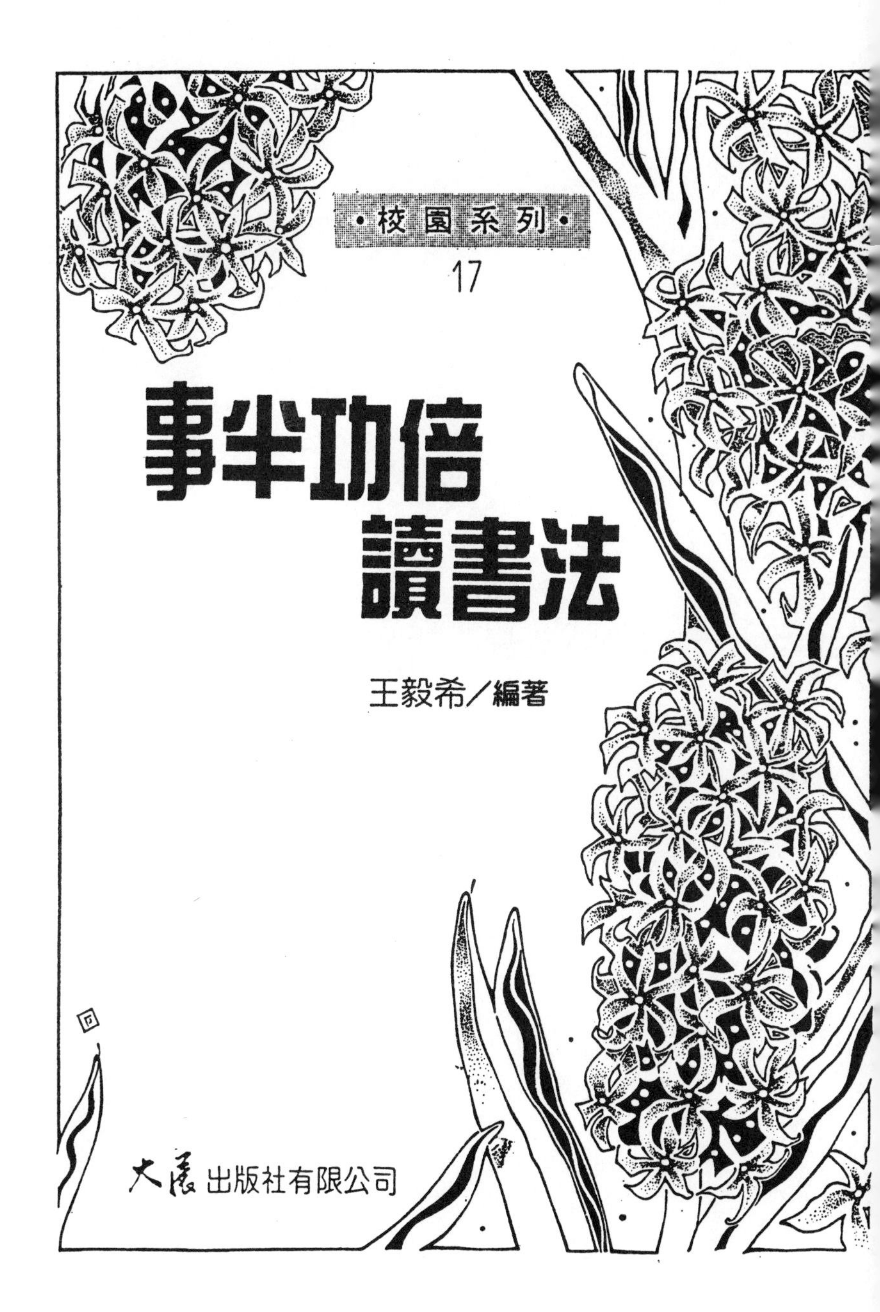
•校園系列•
17
事半功倍
讀書法
王毅希／編著
大展出版社有限公司

序言

長久以來我一直任教於市立高中，和無數的莘莘學子們一起渡過準備聯考的日子。而且也擔任過學習顧問，指導學生如何走上升學的道路。從我的經驗來看，發現學生有一個共同的毛病，那就是當學生的考試分數沒辦法再突破，實力無法再提高時，常會說：「因為我的頭腦不好」「沒辦法比得上別人」或者「天生註定我的成績、實力就該只有如此而已」，因此在高中三年間輕率地就決定自己未來的命運。不管是考大學或專科只選擇自認適合自己「腦力」的學校。而不知自己經過了再加強後可以考上更好的學校。

如此輕率地就決定自己的未來，我覺得非常可惜。經驗告訴我，成績和偏差值與人的天分是沒有關係的。而是依照「讀書的方法」來決定的。只要有一套良好的讀書方法，再加上個人的努力，任何人都會有好成績，而成績不好也只是不知道所謂「下工夫」的真義罷了。

在讀書的方法中，我們常見到學生利用作筆記來幫助自己理解和記憶。有些學生只把老師寫在黑板上的重點或整理抄在自己的筆記裏，但更用功的學生會去找有關資料、圖片等，使筆記的內容更豐富、更完整。

曾經有一本雜誌蒐集剛考上一流大學的學生們的筆記，而且我也曾經給那些筆記作過講評。從筆記裏不難看出求學者所下的功夫和讀書的方法。我也曾想要把這些資料提供給學生們當參考，但是由於讀書方法實在是多得不勝枚舉，而且每一本筆記會依老師上課的方式、教材的不同而有所差異。

如果告訴學生「×作比較好」，但這個方法並不是任何一個人的特效藥。也許這方式對某個同學很好，却未必適合另一位同學。因為模仿他人筆記的人不見得就能如同他人一樣，考上一流大學。每個人都有不同的個性和思考方式，因此找出適合自己的方式，才是最重要的。

所以在這本書裏，我蒐集各種讀書方法的觀念和技巧，希望能幫助各位找到適合自己的讀書方法。

當然不可能一一實行這本書裏的方法，只能選出適合自己的方式和技巧。如此將自己原本的讀書方式稍作更改，一定可以提高自己的成績，向自己的第一志願挑戰，而且一定可以戰勝的。

目錄

第三章　聽課的方法

——將上課內容漸漸地裝入頭腦

第四章　考試前的讀書方法

——提高得分的方法

第五章　作讀書計劃的方法
——讓自己的努力和成敗成正比

第六章　依科目而訂讀書的方法
——把最弱的一科變成最拿手的一科

第一章　筆記的製作、使用方法

——一眼就能看出重點

筆記的製作方法

1 製作便於在擁擠的車內閱讀之筆記——摺疊式的卡片

當考季來臨時，我們常見到在擁擠的車內，也有人拿著書或筆記在閱讀。而且一邊看書，一邊還要注意是否打擾到別人，非常辛苦的在利用每分每秒。因此我們何不來學習有效而且輕鬆的閱讀方式呢？

用寫報告的紙，先對摺再摺成八等分，如下圖所示便可作成摺疊式的卡片。先在卡片上

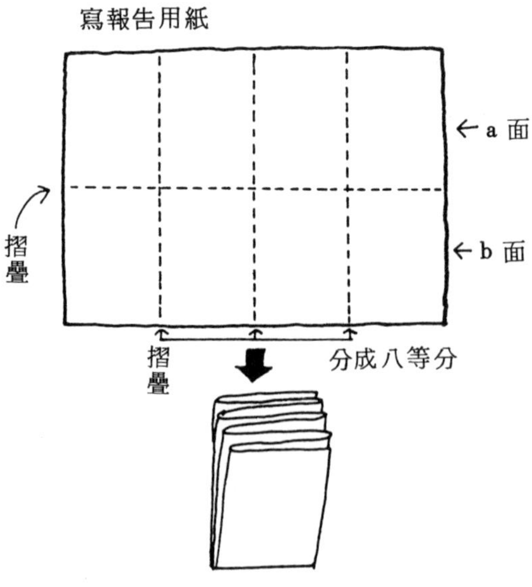

寫報告用紙

←a 面

←b 面

摺疊

摺疊

分成八等分

編上號碼，再把整理好的重點、背誦的事項抄上去。口袋般大小的卡片攜帶起來，就方便多了。

或者分爲a、b兩面，a面抄上題目，b面記下答案，當作背誦的練習卡片。

2 相同的單元蒐集成一冊便於複習——分離式的筆記

數學、理化、社會科等，內容的單元、章節都分得很清楚，因此可以依單元或章節個別整理成冊。筆記的前後封面，必須表記清楚。

例如，物理可分爲「力和運動」、「波動」、「電力和磁力」、「原子」——共四冊。

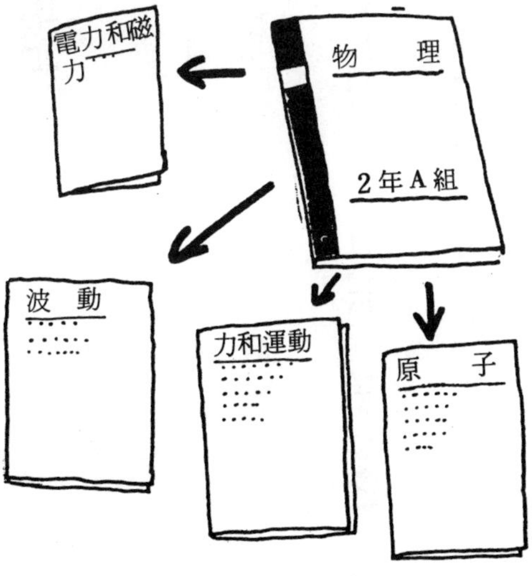

此外也可以把理科裏有關連的部分，整理成一冊，如此更方便複習、攜帶。

3 利於背誦、整理——卡片式的筆記

製作此類的筆記，不使用普通的筆記簿，而是利用市面上一般規格化的卡片紙。將每張卡片都編上號碼，而且一張卡片紙上以一項主題為原則。如果第一面寫不夠，可延續到第二面。如果，當項目的內容太多，需要多張卡片時，可用 P_1 P_{1-1} P_{1-2}……來表記清楚。上一小時的課，大約需要五張到六張的卡片。

用有色的卡片，當每一項目的封面，且清楚地寫出項目的題名以便於整理。最後把卡片串綁成冊。

當我們在解答數學、英文文法、理科的問題時，用一張卡片解答一個問題，把各科的解答卡片，分別作成各科的問題練習筆記。

作好的卡片，隨個人的喜好，決定是否編訂成冊。因為考期進入倒數個位數字時，要把卡片分為熟記的部分和不熟記的部分。再針對不熟記的部分下功夫，直到熟記為止。等全部

熟記以後，再按照編號，把這兩部分合而爲一，以原來建立的系統順序，再一次的總複習，如此可增強記憶力。對於每年常出的題目，要在卡片上用紅筆作上記號，在考試的前幾天，反覆練習。

4 輕鬆愉快中增强記憶力——題目別筆記的威力

全部的科目共同用一本筆記簿，雖然不失爲一種方法，但是依照科目別作出一系列分册的筆記，不但可以感受到自己正從事於整理的工作，而且讀書的慾望在無形中也會提高。

例如，整理英文文法時——

第一卷是名詞；第二卷是代名詞；第三卷是形容詞；第四卷是動詞（大概要較多的頁數）；第五卷是冠詞……。分成好幾册。因此從高一到高三所有的名詞要點，都集中在第一卷的名詞筆記簿裏，如果資料蒐集的很完整，這本「用手作成的參考書」連坊間的都會自嘆弗如。

整理世界史時也是分成：1.中國史。2.英國史（包括英國是如何形成的、如何變遷，今日的英國又是如何……諸如此問題，從世界史的書中蒐集出來）。3.美國史。4.法國史。5.亞洲史。6.回教史。7.戰爭史。8.宗教史——等。把同一時代發生的重大事情整理在一起。雖然此工作要花費很多時間，但是一邊蒐集、研究資料的同時，也加強了自己的世界史。

5 單張或四張爲一組筆記的活用

一般筆記簿的製作，不外乎將八～十四張紙，從中間用白線縫訂成小册，再由二～三小册合而爲一大册，最後加上封面即可。

如果把筆記簿的中間線拆開，每張紙都可

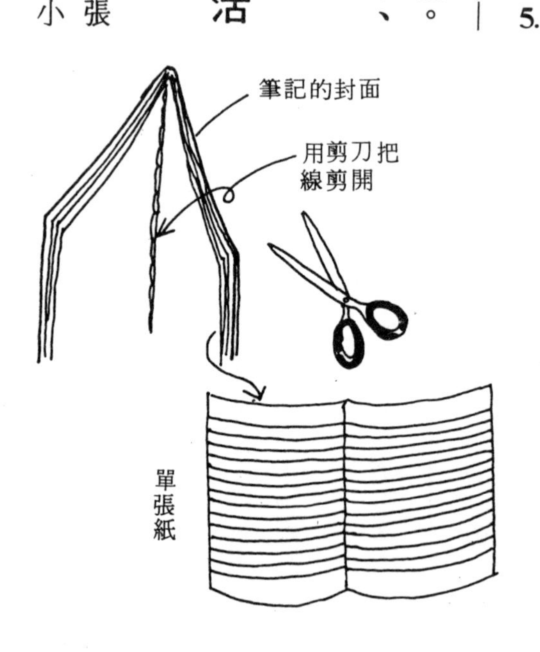

分開取出，而一張紙可視爲四頁，所以也可以當成小筆記簿，它就如同卡片一樣，可以作分類整理的工作。例如：在第一頁上寫下考試的題目，第二頁寫下解答的方式或提示。第三頁裏，寫上注意事項。第四頁裏寫上答案。如此不但可以練習答題，同時也是答案的總整理。

6 化失敗爲成功——弱點筆記

如果想把某項運動學得很好，就不要怕失敗，應該從失敗中學習，才能早日如願。

讀書也該如此。考試時考了不好的成績，誰也會心情不好，誰都喜歡看到打對的符號，而不喜歡看到打錯的符號，這是我們一般的反應，但是更重要的是，去追問錯的原因和眞正的答案或解法，而不是看一看分數後就把考卷丟了。如此，不管多麼用功，也得不到好的成果。

因此，對於國、英、數，儘可能個別分册作「弱點筆記」，把錯的題目從考卷上剪下，貼在筆記本的左邊，再把正確的解答寫在右邊。「爲什麼我會作錯」、「作這種題目要注意那些要項」、「自己經常容易粗心的地方」諸如此類的問題，也可以寫下來。至於理化、社會科，最好是把考卷貼在上課時用的筆記簿上，當然也要作檢討的工作。

平常就作「弱點筆記」，不但補強自己的弱點，而且不會再犯同樣的錯誤。

7 可以隨時分離取出——解答筆記

如果聽到「像天上的星星一樣多」的話，那表示所指的東西多得數不清。考試的題目就是如此，要作也作不完。但是所有的題目並不是各自獨立的，而是像星星一樣，有家族的關係存在。所以一個問題可以找到性質相似的同伴。把同類型的題目集中在一起，一旦考試時就可不慌不忙地作答了。

蒐集題目並不是要你一一的背下解答，而是要你熟練類型相似的解題方法。

如果基本題型已練習完畢而進入應用題型時，一個題目用一張紙（一張卡片），便於以後可將同類型的題目分類成册。

例如：知道三角形的一邊長度，而求其對角的角度，或知道三角形一角度，而求其對邊長度，諸如此類複雜問題，都屬於三角形的正弦定理問題。它的解法是 $\frac{a}{\sin A}=\frac{b}{\sin B}=$

$\frac{c}{\sin C}=2R$（R爲外接圓的半徑），把這個公式視爲正弦定理相關題型的解法。

8　敍述式的筆記

教科書中，常用較大且黑的字來表示大綱或提要。當你被問到諸如此類標題時，最低限度要能馬上且熟練的說出來。

但是只會用口頭說明是不夠的，如果不能用考試的方式正確的寫下來，那麼就不能拿到好的分數。而正確的表示法，是多模仿教科書上的流暢用語，如此才可能得高分。

在筆記裏設立「名詞解釋欄」，每天練習二次到三次，如此才可使自己的文字簡潔有力。

9　加强解塡充題的能力

在考英文、國文、社會科時，常會有塡充題型出現。爲了應付這題型，不得不加強練習。平常如果不練習，考試時就無法在短時間內填入正確的答案。

因此，把重點的地方用空格來代替，把答案寫在題目欄的旁邊以便對照。

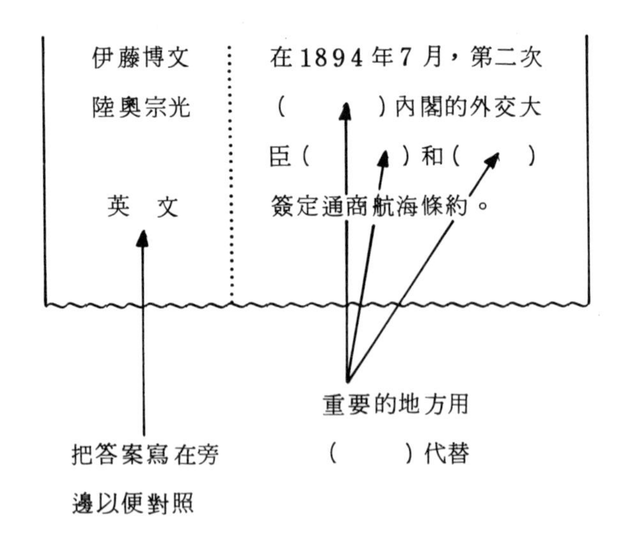

10　筆記的邊緣貼上指示標籤——多用途的筆記

不管是把課堂上用的筆記和習題用的筆記合用否，還是把一張張不同科別的筆記合成一本，都應該讓人能一目了然，知道怎麼查閱筆記。

這時候最有效的方法，是清楚地貼上指示標籤。特別是使用活頁紙時更需如此。

除了貼標籤之外，還可以用不同顏色來區別，或者把紙張的兩邊，如圖般的裁剪，然後標上記號。

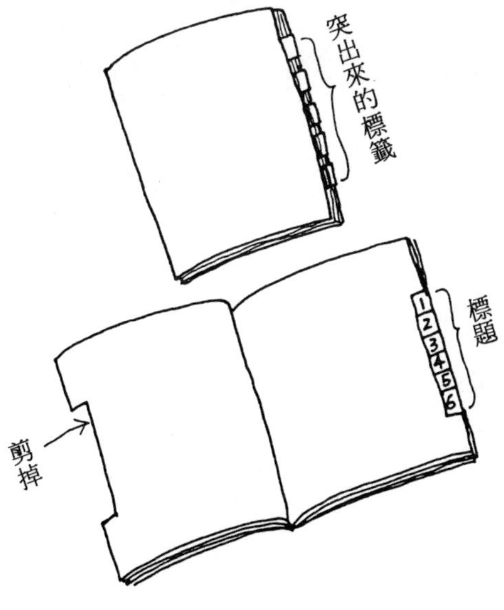

11 複習時的必要武器——備用筆記

當學校的期中、期末考接近時，坐在椅子上看書的時間慢慢變長了。平常如果有準備，考前也不用如此慌張抱著書不放，也就是所謂的「平時不燒香，臨時抱佛脚」。

我所謂的準備，是平常把課堂上的講義、參考書的資料，點點滴滴的蒐集在筆記本裏，當作自己的秘密武器，而不是爲近期的考試才開始作筆記。而且在考前一週才開始作筆記，可能得不到預期的效果。

12 公式集筆記

數學和理化，都有很多的公式。如果把這些公式有系統地整理成「公式集」，就隨時可以取出背誦。市面上所賣的公式集，雖然書本裏所蒐集的公式非常齊全，用起來蠻方便，可是有些公式，我們根本不知道它是如何演變過來的，甚至，在何時使用都全然不知。公式就如同我們的手足，我們的手足之所以能運用自如，正因爲我們瞭解它，現在我們要運用這些公式，除了背誦之外，更要完完全全的理解它。才能達到背誦公式的成效。

所以，在作公式集時，除了把公式抄上去之外，還必須把公式的整個演變過程寫清楚。同時也把相關的公式、使用公式的條件，一齊併入公式集裏。

13　把筆記加上封套便於取閱

一般的雜誌、新出版的書，一定會加上封套。在封套上寫有書名、標題、專訪等。當閱讀完畢放回書架後，一旦想到要再翻閱時，就可迅速地取出。一般市面上所賣的筆記簿，不是沒有封套，就是使用黑色的封套。放在一大排的書架上，就如同忍者的裝扮一樣，不易被發現。有時要找一本筆記時，「啊！不是這本」「又錯了」非得一一尋找不可，甚至有時喃喃自語：「到底藏在那裏啊！」把剛燃起的讀書慾望給澆熄了。

爲了避免此情況發生，必須在筆記簿的封套上寫出單元的名稱、科目等。當你要寫封套時，請注意以下幾點：

(1)使用市面買的標籤紙，或自己作的標籤紙，貼在一定高度的封套上面。
(2)用簽字筆畫簡單的圖案，來代替文字。
(3)在課堂上用的筆記，和自己整理的筆記，在封套的下端分別貼上綠色、紅色的小紙張，以便於區別。
(4)同一科目，有好幾本分册時，必須把編號寫清楚。

14 利用筆記本的封面

教科書或參考書的附錄裏，常印有一些表格。例如：
數學：三角形關係表、平方根、函數表等。
物理：物理定理、元素的週期性等。
化學：元素的週期表。
世界史：年表、歷史地圖。
地理：統計資料表、名詞解釋等。

英語：新的單字和片語。

這些表格雖然並不需要全部背起來，一旦需要查閱時，如果能隨時在身旁找到，就非常的便利。

有時在看筆記時，遇到「十的平方根是多少」等問題，此時還要一一地去翻教科書或參考書，那多麼沒有效率啊！因此，應該影印這些資料，而後貼在筆記本的封面或筆記本的最後一頁。

當然，你也可以只影印需要的部分，用不著全部都影印貼上去。有時，讀物理時，同時也需要用到三角、平方根的表格，如果物理的筆記本上也有數學的資料時，也就不必再特地去找數學參考書了。所以爲了方便起見，不同科目的附錄表，也可以同時貼在一起。

但是對於歷史的年表，或元素的週期表等，這些都需要經過瞭解，然後背誦才能牢記，所以此類的表格，儘可能自己作。但是這類的表格，不是短期間可以完成的，因此，可以配合老師上課的進度，逐漸完成。

如果覺得把附錄貼在筆記本上是很便利，那也可以把國文的國學常識、英文的文法規則、生物的化學反應、數學、物理的重要公式等，如同貼附錄表格一樣，貼在筆記簿上，提高學習的效率。

15 在筆記簿裏，加上目錄和索引

在筆記的第一頁寫上目錄，寫目錄的要領，可模仿教科書。有了目錄，可以在短時間內，找到自己想要的資料。而且多次的閱讀目錄後，自然而然地會熟記題名、大綱和目錄的排列順序。當然也會把筆記的內容牢牢記住。

目錄就如同是檔案資料一般，讓人隨時可以查閱。

在教科書或參考書的最後，大都附有索引，這不是隨意的添加物，而是把重要的事情，按英文字母的順序排列，以便查閱。當我們在整理筆記時，常常爲了找定義、法則、用語、人名、地名，而翻遍每一本書，如此浪費時間且沒有效率的行爲，當然必須改善，而改善的最好方法，就是在筆記本後面，附上索引。

可是像教科書一般，附上全本書的索引，如此大的工程，不是你所能作得到的。因此，依各單元、各章、訂作約四頁的迷你索引即可。而且索引不一定是要附在最後，當然亦可放在各單元、各章的最前面。

複習用的筆記製作方法

16　讓學習的過程活現眼前——使用不同的筆具

常把預習所查到的資料、課堂上的資料、複習整理的資料和自己練習的問題，都寫在同一本筆記上。剛開始時，可以很清楚地分辨出是那一階段的資料，但過些時候，恐怕全都混在一起了。

如果，自認自己的頭腦可以記清楚任何一件事，我想這是一個錯誤的想法。相同的，如果自認可以牢記每一階段筆記的內容，那也是個錯誤的想法。不重視整個學習的流程，會影響到思路，使原本可以牢記的事情，也會變得記不起來。

同時，也會使筆記變得雜亂無章，影響思考的原因，首推「筆具」的使用不當。也就是說，從預習到複習都用同一種「筆具」，例如全部使用鉛筆或全部使用原子筆等。

因此，爲了使筆記井然有序，應該使用各種筆來劃分各階段。就像現在的汽車工業，爲謀求工作效率，已徹底地分工合作。寫筆記時，把預習的部分用鉛筆寫，用原子筆寫課堂上的筆記，複習時則用鋼筆整理。如此一來，便可以很清楚地知道「預習時查過的資料」「老師上課講的資料」了。同時也能喚醒當時的記憶。

如此，稱這本筆記爲「活筆記」也不爲過罷！

17 再難看的字，只要順著線條寫，就會變漂亮

第一次世界大戰到第二次世界大戰共20年

把此行，稍微改變……

第一次世界大戰到第二次世界大戰共20年

當你握著一本整潔的筆記時，會增強自己讀書的慾望，反之，握著一本亂寫的筆記時，連在他人面前展開時，都會覺得不好意思。

如果能注意以下幾點，便可以使你的筆記看起來整齊美觀。

①寫字時靠著下面的線，不要觸到上面的線。

②字的大小要平均。

③寫字的方向要一定（用右手寫的人，稍微向右傾，會比較好寫）。

18　要提高複習效果，基本上要有一本好的筆記

一看到筆記的內容，大約知道此人的實力有多少。有實力的人的筆記，縱使是上課的筆記或要點，都寫得整整齊齊。剛開始，要達到如此的水準，是有點困難，但是慢慢下功夫，就能作到。

先把標題寫在筆記上，也是一種方法。

一般，是寫完筆記後，再依筆記的內容來定標題。如果先找出標題，再把和標題有關連

的資料，蒐集在一起。如此應該可以幫助剛剛學習作筆記的人，把筆記作得整整齊齊吧！

至於，要如何下標題？可以參考教科書的題目，或者老師寫在黑板上的標題。因爲，教科書的標題和黑板上老師所寫的大綱，都是內容的主幹，把它們當作筆記的大標題，應該錯不了。用鋼筆寫標題後，不要再接著寫下文，要留適當的空白，以分開主題和說明的內容。而且說明的內容要用鉛筆或原子筆來寫，以區分大綱和說明。

如此一來，不論作教科書的筆記，或是課堂上的筆記時，應該不會有太大的問題。如果再把自己複習時，所查到的資料加上去，就可作成一本內容豐富且整齊的筆記。

19 在複習有效的規劃筆記的標題和內容

修行者，從老師父那裏悟到眞理，而悟道的方法却不是由老師父一一的講解。而是老師父給徒兒們一個所謂的偈語，然後各憑學生們自己去詮釋，等考慮完了，再和師父對答。如果想法和師父很接近的話，表示合格。不然的話，老師父會要學生再回去思考，直到學生和師父的想法接近爲止。

我們在整理筆記時，往往不知道要記那些才好。要是沒有人教我們的話，我們的成績就沒辦法提高。難道要像修行者一般自己去思考？

整理筆記時，首先要把章、節的題名寫出。例如化學科「第一章是×××的法則」，這就像偈語一樣，接下來，自己朝著這問題「×××的法則是什麼？」去找答案。

從教科書、參考書找到的答案，詳記在筆記上，有時答案可能不只一個，把相關連的答案融會貫通，相信如此一來，一定可以通過任何考驗。

20　訂定提高學習效果的標題

教科書的標題，往往依內容而訂。而這標題通常比較呆板無趣。看到如此的標題，引不起閱讀的慾望。如此當然不能提高學習的效果。

因此，除了模仿課本的標題外，另外，在標題的旁邊一行或下面一行，再訂一個能引起學習動機的補助標題。當翻開筆記時，感覺上比以前好多了。而且體會到讀筆記的樂趣。

例如在讀西洋史時，看到「拿破崙帝國」這個標題，並沒有清楚地道出和內容的關係。

如果改寫成「拿破崙的出現和第一帝政」——作戰政策和帝國的發展——。

如此一來要比前面的標題完整而易懂吧！

作理科的筆記時，標題最好用疑問型，例如，標題是「運動能量」時，最好自己在原標題的旁邊再寫一個。如「物體的質量m kg，速度Vm／S 時運動，運動的能量是多少？」看到此標題，自然地引起求知的好奇心。

21 打開筆記，不僅引起讀書的慾望，同時也像在標題展示

我們常一打開報紙，「哦！這是怎麼一回事」，連想都沒想，就在能吸引閱讀慾望的標

題之下把文章看完。最後才理解到「啊！原來是如此」。

因此，爲何不利用此方法，來作筆記呢！尤其在社會科裏，有很多的人名、事件、地名等，更容易作出吸引人的標題。例如：「日、俄戰爭——俄軍艦隊敗北」「拿破崙的英國本土侵略計劃終於失敗——」。作出像這樣的標題，更能對內容記憶深刻。

22　讓重點一目了然的下標題方法

如果知道住址是「S街三巷一五—八號」，就可依著地圖，首先找出街名，再依次找到三巷、一五—八號，然後到達目的地。

整理筆記時，把重點依照門牌號碼一樣編列清楚，使用起來，既迅速又方便。但是寫筆記又不是在寫戶籍手册，不能註上地名、街名、號碼。所以必須用大、中、小的標題來區分。

例如，世界史的筆記，就可如圖般的標示，在最上一欄裏，用較大的字寫上主題；其次，用二小行寫下大標題，如同住址的街名；再來用一小行寫下中標題，如同巷號一樣。相當

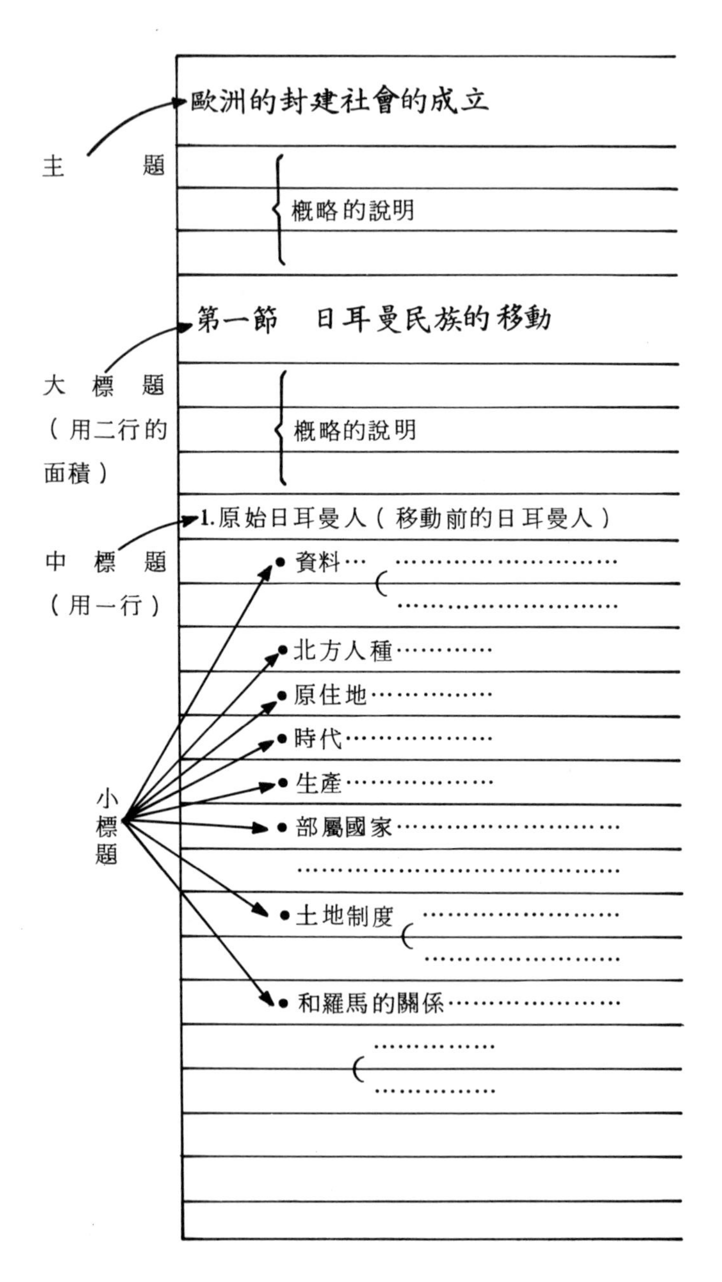
歐洲的封建社會的成立
主　題
概略的說明
第一節　日耳曼民族的移動
大標題
（用二行的面積）
概略的說明
1.原始日耳曼人（移動前的日耳曼人）
中標題
（用一行）
• 資料…
• 北方人種…………
• 原住地……………
• 時代………………
• 生產………………
• 部屬國家………………………
• 土地制度
• 和羅馬的關係…………………
小標題

於門牌號碼的小標題分別寫在中標題之下。而各個標題的字首對齊，利用字的大小或字體的變化，都能使標題非常的顯眼。

依這規則，不但使筆記看起來言簡意賅，而且每個重要的事項都能一目了然。

23 有效地利用筆記簿上下空白的部分

筆記的每一頁，上面約有二～三公分的空白，下面約有一・五～二公分的空白部分。很多人都沒有利用到空白的部分。

那麼怎樣利用空白的部分呢？最好的方法是，在上欄記下相關連的事項。所謂有關連的事項是什麼呢？舉例說明：數學的級數問題裏，不知道末項是多少，從首項a和公差d求n項的等差數列及求和Sn。此公式爲$S_n = \frac{n}{2}\{2a + (n-1)d\}$當你練習到此問題時，必先知道末項是多少，而求末項的公式又沒記牢，如果此時再去翻書，不但浪費時間，且浪費體力。

因此，在上欄空白地方寫著：首項爲a公差爲d，項數n的等差數列和是$S_n = \frac{n(a+1)}{2}$

。這些記載的內容，就稱爲有相關連的事項。這樣的讀書方式，不但比別人更有效率，而且更能有系統地瞭解整個過程。不怕同類型的題目出來多少次，都能迅速的解答。由以上的例子中，就可明白利用上欄空白處的重要性了。

至於下欄的空白地方，怎麼運用呢？可以把這頁不懂的地方寫下來，或者，把表記的符號加以簡單的說明。

24 當內容太多，不能同時容納在同一頁時，製作張貼式的筆記，以提高複習的效果

當家裏的成員增加，原來的房子太小時，

便想換屋，或在空地上建新的房子，或者在屋子上面再加蓋。

作筆記時，當一頁不夠用時，又不想把剩下的部分延伸到另一頁，這時眞不知如何是好。

此時，如同前圖所示表一樣，用報告紙，裁下適用的大小，貼在此頁的下方，如此便能增加空間。等作完此頁筆記時，再把突出的部分往內側摺疊收藏起來。旣方便又實用。

25　每單元、每章都作歸納、整理才不會把重點遺漏

爲征服高山、登山者，不知道要紮多少次的帳蓬。登到某高度就必須紮營休息，補充體力，然後再向高點挑戰。如此反覆地走走停停，終能攀達到最高點。

讀書時也是如此，每科在連續學習，在五～十小時後，爲了提高讀書效果，和爲了給自己再加把勁，就應當利用一～二小時來作複習的工夫。實際上，在上課時這是作不到的。因爲如此一來，教科書一定教不完。因此，老師把一個單元或一章教完後，馬上又進入另一個單元或另一章了。

如此一來，自己也沒去作複習的工作，因爲心裏想「老師沒幫我們複習，大概不重要罷」。如此的想法眞是大錯特錯了。登山者如果一路上不曾休息，只想一口氣登上頂點，我想，他不但爬不到山頂，而且會累倒了。讀書也是如此，如果不定時複習，不懂的地方，漸漸累積起來，就愈來愈痛苦了。爲了避免痛苦的產生，就應該學習登山者一樣，適時的紮下營帳。在每個單元或每章結束時，應當作複習的工夫。

把每單元或每章的重要事項、新出現的用語、常使用的規則、公式、或應該背誦的事項等，好好地歸納、整理。才能達到讀書的效果。

26 爲了不犯同樣的錯誤，用紅筆訂正

當一則意外事件發生時，正確的處理方式是，蒐集現場所有的指紋、遺留品，或奇怪的東西。這些東西，有可能是破案的關鍵。可見這些證物的重要性。

在練習答題時，有時會作錯，或答非所問，此時常會說「哎！不行」，馬上用擦子把所寫的答案都擦掉了。就好像把出事現場的證物都隱滅了一樣。如此一來，「爲什麼會作錯」

「那裏作錯了」，都沒辦法知道了。因此，以後有可能再犯第二次同樣的錯誤。

因此，爲避免犯同樣的錯誤，可以用紅筆訂正錯誤的地方，即使把筆記弄得不整齊也沒關係。訂正後，才會發現，「原來如此，下次要小心」。也提醒自己要注意，大意不得。

對於全然不對的問題，如果全部用紅筆訂正，那看起來眼睛會很吃力，所以這時，可以用藍色或黑色的筆，把正確的答案寫下來，另外在別的紙張上再練習一遍。因爲把易錯的地方，用紅筆畫線或寫下注意事項，如此不但達到訂正的效果，也提高了讀書的效率。

27　相似的問題、容易混淆的問題，利用表格方式整理

一般的教科書、參考書，甚至自己抄寫的課堂筆記，都沒把雷同的問題列舉出來。如果不注意去看，這些重點往往會被遺漏了。

應付雷同的問題、容易混淆的問題，把直寫的方式改爲橫寫，並且把相似的要素提出比較，作成容易看得懂的表格。

背誦表格時，除了項目、要素以外，其他的說明，利用白紙寫出，把每一個要素都詳細

比較。如果能把這表格的內容都牢記清楚了，那麼整個表格的構造，完全都裝入腦子裏了，這才是解決這類問題的竅門。

28 用圖解的方式，比較容易記住

我們經常一面看著圖解表、地圖或歷史圖等，一邊記名稱、地名。如果再稍下點工夫，如圖那樣表示，可以使我們更容易背誦這些名稱。

先把圖畫好，把名稱、地名的地方拉出一條直線，然後標上１２３……的順序號碼。其解答寫在欄外，例如１（大腦）、２（中腦）

標記號碼，在圖上找出適當的名稱位置

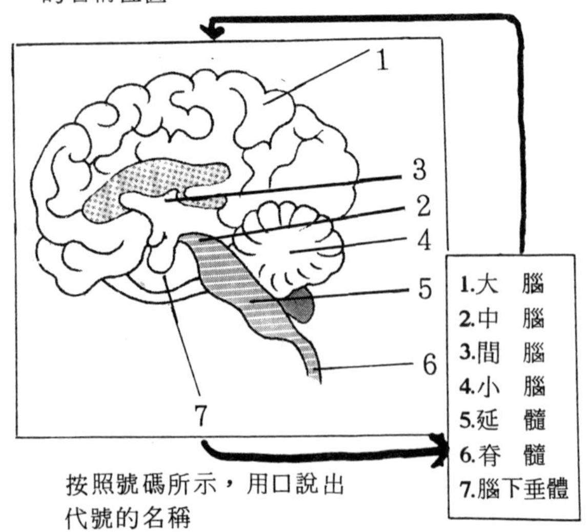

按照號碼所示，用口說出代號的名稱

、3（間腦）……類似如此的整理。練習的時候，指著號碼，一邊用口說出答案，一邊對照欄外的正確答案。

相反地，也可以看著答案欄，把正確的位置一一找出來。

29 筆記的內容應該包括教科書所沒有的資料

一般人認爲，考試的能力，是在課堂上所培養出來的。但是，分析了歷年的考題後，發現，教科書的程度和考題，實際上有一點兒差距。

爲了消除二者的距離，平常應該在筆記上

，設立一個應付考試的專櫃。蒐集一些比課堂上還要難的資料。例如，在參考書裏所查的資料、考試的出題方向、近幾年的考題和解答等，都應該蒐集在應付考試的專櫃裏。

讀筆記的方法

30 製作幫助記憶的卡片

背書時，直接看著背誦的事項，然後背誦，不然就是，看了以後背誦，如此果眞能把事項牢記？這個眞實性讓人懷疑。

依筆記的形式，用雙面紙製作如圖般的卡片。當把卡片放在筆記上時，看得見題目，但看不見要背誦的事項，一邊練習一邊將卡片往下移動，如此才能達到眞正的背誦練習。例如：下圖是爲背誦單字所作的卡片。

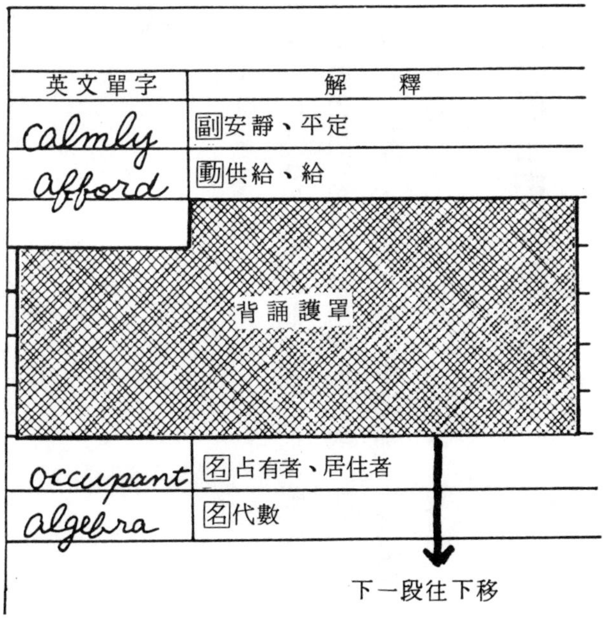

英文單字	解　　釋
calmly	副安靜、平定
afford	動供給、給
	背誦護罩
occupant	名占有者、居住者
algebra	名代數

下一段往下移

當看見單字時，就看不到單字的解釋，當卡片往下移動時，單字的解釋便出現，同時下一個單字也一併出現。

31 紅色的魔力，意想不到的效果

作筆記時，把非記不可的用語、人名、地名，用紅筆記下來。

這樣不僅顯示出重點，而且可加強印象。除此之外，還可幫助我們，在考前加強記憶能力呢！只要在筆記上，放一張紅色的透明紙，或是戴上用紅色透明紙所作的眼鏡，如此一來，就有不可思議的效果發生。此時，所有紅色的字都不見了，我們正爲了能把前後文順暢地連貫，必須想出消失的字句，如此，便達到了複習的效果了。

32 想在短時間內，增加記憶力，用黑筆把重點塗掉

三國時代，漢的名將韓信，爲了對付趙的軍隊，選了面山且背水的地形，和趙決一死戰

，這就是所謂的背水一戰。

往往背不起筆記上的重點，那是因爲心情太鬆懈，如果想要提高記憶力的話，把重點的地方用黑筆塗掉，當心裏一想到「將看不見了，不記住又不行」，就會一本正經地把要點記起來。如此便達到在短時間內增加記憶力的效果。再則，如果眞怕事後把重點忘了，那麼可用鉛筆，在欄外的地方把重點記下來。

33 把難背的字，寫在卡片上，而後夾在筆記裏

每一科都有非記不可的用語，例如，在生物科裏，就必須記住RNA、腎上腺素、ATD、ADP、解糖等，對於初學者而言可眞是個難題。

因此，把這些用語寫在卡片上，夾在筆記裏，當需要用時，便可迅速地查閱到解釋。如此反覆的使用、查閱，久而久之，自然地便能熟記這些用語了。把已牢記的卡片拿走，裝訂成一册，好好地保存，等考試時，又可拿出來複習。

34 與其面對書桌浪費時間，不如好好地利用零散的通學等時間

如果說，讀書一定要坐在椅子上，面對著書桌才能閱讀的話，那麼一定有很多時間是坐在椅子上發呆，而浪費了光陰，是否曾想到，如果好好利用走路的時間，在月台、站牌等車的時間或者在車內無聊的時間，那也是很好的讀書時間。

把這些零碎的時間，用來背單字、背書、思考問題的解法等，是最恰當不過了。利用這種時間讀書，不但可以改變當時的氣氛，也可以提高自己的能力。

35 牢記重點——筆記的複習術

不管是期中考或期末考前，大家都會先拿出老師上課的筆記來看。但是，經常會發現「這是什麼意思？」不瞭解的問題。這是因爲，這筆記是在老師一邊教導時，一邊作筆記，雖然當時很清楚地知道，但是時間一久，便會忘記了。任憑花多少時間來看也無濟於事，如果

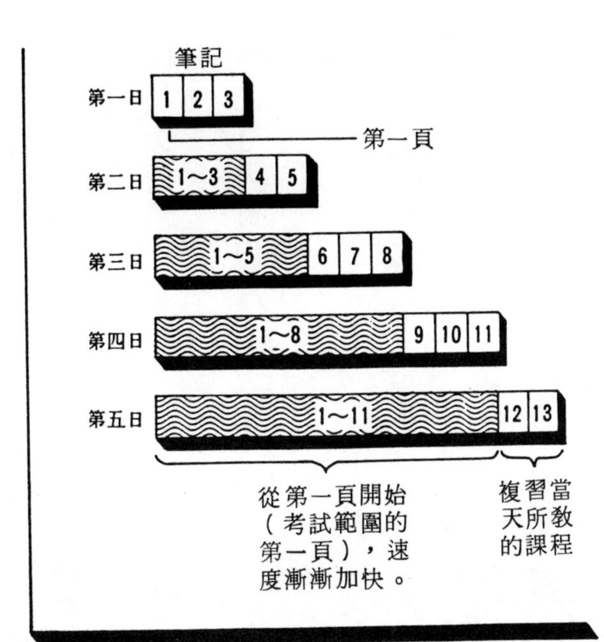

能考及格還好，不然就危險了。

那麼，要如何來整理課堂上的筆記呢？當然不可能直到考前才開始準備整理。要從平常就開始動手作。每天，每科結束後，花二～三分的時間，閱讀筆記，把不對的地方改正，把不懂的地方馬上去問老師。

另一種方式是，當天複習前，先把考試範圍內的筆記從第一頁開始，重新看起。

例如，第一天從第一頁看到第三頁，第二天，再從第一頁看起，把昨天沒注意到的地方或疑惑的地方再加強。當然，第三天還是從第一頁看起。如此一再反覆直到考試的範圍止，這樣一來，絕對不會發生考前臨時看不懂筆記了。

或許有人會問：「如果如此地一再反覆複習，那就沒有預習的時間。」其實不然，我們每天看同樣的地方，漸漸熟了，速度也會變快，重點自然而然也就牢記在腦子裏了。

平常在複習筆記時，都是從第一頁開始的話，到了考試時，根本不用再讀筆記了，而把時間用來作習題。

36 用朗讀的方式讀筆記，可以使記憶力增加好幾倍

日本作家崎潤一郎曾說過，寫文章時，要用音樂的效果和視覺的效果，來向讀者的眼和耳傾訴。所謂視覺的效果，就是文字的形狀和分配，而音樂的效果則是，唸出來的聲音和調子。

整理筆記時，注意到視覺效果的，大有人在。但是却很少人考慮到音樂的效果，並非要你在每一節後，寫上歌曲。而是，用眼睛讀字的同時，口中也發出聲音，再用耳朵去注意傾聽。

如果在朗讀筆記時，聲音突然停了，耳朵聽不到口裏發出的聲音時，一定是碰到了不知

道的文字。於是會響起「啊！這是什麼」的雜音。如此，要把筆記的內容全部記起來，似乎不太可能。

作筆記時，除了注意視覺效果外，多少注意一下音樂效果的話，會有意想不到的效果。例如，筆記完成後，稍微速讀，把難讀之處或調子不好的地方，稍加改變，使讀起來流利順暢，同時也變得容易記住了。

37　自問自答的朗讀方式，增加記憶

考試時，爲了背誦筆記的內容，一頁接一頁，細心地閱讀，經由視覺而記憶的方法，相信，誰都作過。但是經由聽覺而記憶的方法，却一直被人們所遺忘。也就是邊用眼睛看，邊用口來問或回答的方法。

例如，在筆記上記著「血液裏包含水分之外，還有紅血球、白血球、血小板」，只利用眼睛來看，印象可能不深刻，如果用問的方式，例如：「血液裏包含那些東西？」此時立即回答：「水分之外，還有紅血球、白血球、血小板」，諸如此類的練習，經由耳朵再到頭腦

，結合了視覺和聽覺，當然可以增加我們的記憶能力。

特別重要的問題，把一問和一答的聲音錄下來，多次的反覆聽，不怕你記不起來，只怕你聽膩了。這也不失爲一個好方法。

38 教授別人，是最好的複習方式

在中國有句諺語：「教學相長」，而在西洋方面也有句成語，「我們靠著教學來學習」（We learn by teaching），可見，英雄所見略同，自己在教別人時，不但可以回顧過去所學，也可藉此，把自己不清楚的地方搞清楚，這眞是一個自我學習、成長的最好辦法。

但是，現在的學生，他們的讀書方法如何？只知道從老師那裏取得知識，而不知道如何教人。

專心地記錄下老師給予的資料，積極且主動地去教別人，似乎很少人能作得到。一到考試時，有的人甚至覺得，筆記借給別人是一種損失。有那種脾氣的人，不見得百分之百瞭解筆記的內容。雖然把筆記寫得很好，但是不見得就表示已經學會了。

所以，拿著筆記，主動地教導別人，不但可以自我練習，更可以提高自己的理解力。

第二章　活用教科書、參考書的方法

——好好地學會基本技巧

活用教科書、參考書的方法

39 使教科書，成爲最好的參考書

提起教科書，不用說也知道，它是我們學習、求知的中樞，所以它左右了我們讀書的效率。或許，我們都曾經在重點的地方，用紅筆劃線，或用彩色筆塗塊，想藉此來活用教科書。不論我曾舉過多少方式，現在，我們來試著把教科書變成自己用的參考書，如何？

①教科書中，說明不足的地方，自己把它補齊。例如：國文科中，名詞解釋不清楚，或是，應該補充而被省略的地方。

②教科書的說明太冗長了，不容易抓住內容的宗旨時，個別整理後，寫在空白的地方。

③對於出現的圖表，要加以說明，或者把相關連的資料，填寫上去。這個工夫，對於理科、社會科、數學等，絕對是必要的。

④在物理、化學、數學方面，把相關的公式，寫在下欄空白的地方。讀英文文法時，也可以如此。

⑤每段落的要旨，或是大標題，再細分爲「小標題」，寫在旁邊空白的地方，便於作總整理的工作。

⑥把老師上課時，所提出的部分、寫在黑板的部分、或特別強調的部分，都分別地作記號。作上不同的記號，比較容易回想起上課的內容。

40　經過補充說明後的教科書，變得淺顯易懂

上課時作筆記，雖然是必要的，但是有的人固執到，非把每一件事，都記載到筆記不可的程度，如此當然不能提高讀書的效率。有時把重點直接寫在教科書上，不僅更容易理解，也可省掉作筆記的時間。

教科書上，常有說明不足的地方，或者常會出現「和前章、節所敍述過的一樣……」這樣的句子，此時，我們應該利用空白的地方，把它解釋清楚。乍看之下，覺得教科書非常的

完善，其實不然，例如，書上曾經提過一次的事情，不會再出現第二次。非得經過老師說明，否則內容不易瞭解。所以此時應把老師補充說明的部分，直接寫在書上。

再如，數學或理科的式子變換，此時也不宜寫在筆記本上，直接寫在書上會比較好，如此才能讓教科書，變得淺顯易懂。再說，要把這些複雜的公式，全部抄在筆記上，那也要花費許多的時間和精神。

但是，像英文、國文的讀法、解釋，數理科的問題練習，還有教科書上沒有的資料等，還是應該寫在專門的筆記本上。

把資料寫到教科書上，並不是要同學用教科書來取代筆記本。

41 教科書的索引，是最好的對照表

教科書中索引的用法，相信大家都知道怎麼使用。平常，要查閱某事項時，只要先查索引，就可查到所需要的資料。但是只利用索引來作這些事情，眞是一大損失。

我之所以如此說，是因爲索引把課本內所有重要的問題，都依順序排列。因此，我們可

以利用卡片，以索引爲基本的大綱，然後再蒐集一些相關連的資料，讓每一個大綱都變成完整而且豐富。這整理的工作，不但有助於複習，更有系統地幫助我們瞭解。

42 老師不按課本的內容上課時，用參考書代替寫筆記

如果，老師照著課本的內容和順序上課時，作起筆記來，是非常輕鬆的。

但是，上社會科或理科時，老師常不按照教科書裏的順序上課，而且上課的內容也比書上的難。而叫學生把教科書拿來當參考用。上國文、英文、數學時，老師爲了讓學

索引　　A行

Acetylene・salicylic acid ····· 40
Acetylene・cellulose ··········· 170
Acetylene ················· 15、20、85

寫上教科書的頁數

卡片

Acetylene　乙炔

製法：$CaC_2 + 2H_2O \longrightarrow C_2H_2 + Ca(OH)_2$
碳化鈣

- 無色有毒的氣體　$CH \equiv CH$
- 有惡臭（不純物體）
- 乙炔，耐高溫

$H-C \equiv C-H + H_2O \xrightarrow{HgSO_4} H_3C-CHO$　P15

Acetaldehyd 酢酸原料　P20

$H-C \equiv C-H + HCl \xrightarrow{HgCl_2} H_2C=CH_2$（H、H／C=C／H、H）

H:C:::C:H（三重結合）　（氯化乙烯）P85

生能瞭解課本的基本內容為目的，所以比較不會有上面所提及的問題發生。

當我們遇到這種情形，怎麼作筆記呢？是否一一地抄下老師的每一句話？如果這樣作的話，將抓不到重點，不但浪費時間而且浪費體力。因此，試試看下列的方法。

首先，買一本和老師上課內容相近的參考書。而選參考書的竅門是，把老師上課的內容，和各本參考書作比較後，選擇一本內容相近，而且說明清楚的參考書。

上課時，以參考書代替寫筆記，把參考書和教科書同時放在桌上，老師所提及的地方，用紅筆劃下來，如果參考書內沒有記載，就把老師所說的內容，直接寫在參考書裏。

43 用懷疑的態度，求證「解答集」會增強實力

手中握有一本解答集，那什麼問題都可迎刄而解。因全面地依賴著它，連不懂的問題，都抄襲解答集的答案，如此，可以說自己的能力提高了？

更何況，解答集的解答，未必是最好的解答方式，而且也有錯誤的地方，如果我們一味地依賴解答集，那麼一定會降低自己的解答能力。如果，我們抱著懷疑的態度，再次的求證

，甚至能發現更好的解答方式，那才是自己所學來的眞正實力。

44 爲了加强英文能力——選擇課外讀物的方法

要培養英文能力，必須從精讀、多讀，兩方面著手。所謂精讀，是把從課業所學到的東西，研究得精僻入裏，而所謂的多讀，便是多看一些課外讀物。但問題在於如何選擇課外讀物呢？原本想好好地向這門科目挑戰，但因不得其門而入，只好作罷！

爲了培養自己的英文感，所以要多看些英文書，而在選擇課外讀物時，在不查字典之下，一頁中單字不要超過十個以上爲原則。

抓住這個原則，多看一些英文課外書是非常必要的。

45 選擇輕巧的英文文法參考書

想要背熟英文文法中的每個規則、例外，是非常難的事。如果，經過有系統的整理後，背起來會比較輕鬆，而不容易忘記。因此，應付英文文法，一定要讀爛一本文法參考書爲戰略。

這個戰略，爲的是把英文文法，作系統性的理解。當然，會遇到不懂的地方，但是，此時千萬不要停下來，繼續閱讀下去，把不明白的地方，用紅筆作記號。同時，也要把重要事項，或必須經過思考方能明白的問題，作上記號。只讀一遍，當然尙不須背誦。只要先把整個文法，有體系的閱讀一遍即可。

如此從頭到尾看一遍後，對於英文的文法，應該可以在腦子裏有個整理，而且對整個文法的知識大約有個概念。

讀完一遍之後，把剛才不懂的地方，重新查閱，對於重要的事項、例外等句子或句型，要加以背誦。

要贏得這場戰爭的竅門，在於如何選購參考書。儘可能選擇可以在短時間讀完的。其次，與其選厚的，不如選重視重點總整理的。如果太貪心，想一次就要學得多又要學得好，那是不可能的，反而會弄巧成拙，什麼都沒學到、沒學好。

46 閱讀英文課外讀物，改善對英文的厭惡感

如果勸英文不好的人閱讀英文課外讀物，那一定會遭白眼，因爲對於英文教科書已經夠厭膩了，還談什麼課外讀物。如果看課外讀物，不是爲了考試，而純粹以自己的喜好，來選擇課外讀物的內容，使自己輕鬆愉快地接觸英文，這是改變對英文厭惡感的最好要訣。

英文高竿的人，以看原文的偵探小說、看沒有打翻譯字幕的電影爲樂。因狂愛自己的興趣，而學好英文的人也不少。

像這些人，碰到不懂的單字，查字典不是痛苦，反而是一種樂趣。同樣的道理，如果選擇一本自己有興趣的課外讀物，那麼學英文就不是一樁痛苦的事了。

因此，讀課外讀物時，沒有必要逐句翻譯，只要抓住內容的意思就可以了。當然也要同時準備一本筆記簿，記下重要的句型、登場人物的關係，所查到的新單字等。不要有強烈的讀書意識，儘量以輕鬆愉快的心情來看書。如此便可以改變對英文的過敏症了。爲了讓自己有英文感，多看英文課外讀物是最有效的方法。

47 要培養翻譯長文章的能力，先要丟掉翻譯的參考書

考英文時，一出現長篇幅的文章，雖然文法也懂，也沒有單字，就是寫不出答案。這問題就是在於不習慣長文章。原本可以作答的題目，由於心中的不安和恐懼感佔據了思考空間，所以無法作答。

要治療長文章的恐懼症，最好是每天接觸長的文章。要看長的文章，最好的方法是閱讀課外讀物。還有，我們必須馬上作的，就是丟掉手中所有的英文翻譯書。

英文不好的人，常常依賴參考書的翻譯。就如同一位學溜冰的人，一直靠著別人的牽引和牆壁邊的把手走路，那他永遠學不會溜冰的。如果學了基本技巧後，自己一人到廣大的地方去練習，總有一天會成爲溜冰的高手。學英文也是如此。

剛開始練習時或許會很苦，看教科書的文章時一邊翻字典，一邊還要背誦。累積這些實力，不但可以掃除對長文章的恐懼，也可以養成翻譯長文章的能力。

活用題庫的參考書

48 增進解答能力的方法——買二本同樣題庫的書

當我們在作練習時，常把解答寫在一本筆記上。因此，題目和解答不用同一本筆記時，會妨害到學習。

各位一定會說：「把題目一同抄上去，不就好了。」當然是如此，如果像數學的簡單計算題，或是短短的英文句，可以同時抄上去的話，對學習很有幫助。但是如果遇到的是冗長的題目時，那不是要費很多時間在抄題？與其花時間在抄題目上，不如利用那段時間來作習題練習。

要解決這問題，稍動一下腦筋即可，作一種直接解答問題的筆記。

買二本同樣的書備用。

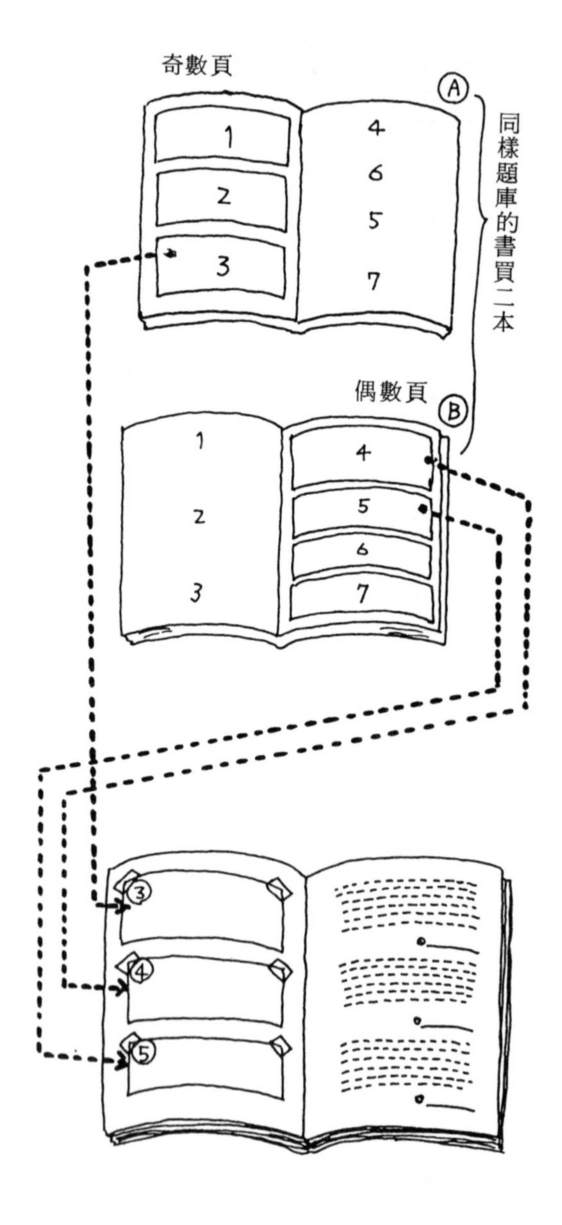
奇數頁
A
1
2
3
4
6
5
7
同樣題庫的書買二本
偶數頁
B
1
2
3
4
5
6
7
3
4
5

首先把二本書，標上A、B記號，A本用來剪奇數頁的題目，B本專門用來剪偶數頁的題目。用膠紙把這些題目貼在筆記簿的左頁，右邊用來解答。如果遇到較長的題目時，請用摺疊式的貼法。

同一題的題目，想作第二次以上的練習時，可以利用別的紙張來練習。如果讀完題目還想不出如何答題時，可以馬上看右頁的解答提示。不斷地如此練習，一定可以增進自己的作答能力。

49　購買題庫的書時，先考慮自己的解答能力

有時，購買題庫的書時，沒考慮自己的實力，選擇程度較高的書，不但浪費時間，而且弄得自己苦不堪言。

要徹底地培養基礎的實力，一定要選擇適合自己實力的書。那要如何選擇適合自己的書呢？有一個大致的法則，就是書本的內容大致有百分之七十左右，自己可以作答。而且，剛開始應該選擇較簡單的題目來練習，增加自己的實力和自信心，否則，不但浪費時間，而且

連讀書的慾望都喪失了。當基礎的題目都會了，再選擇內容比較深的書，而選擇書的方法，仍舊如同我前面曾提過的法則。

50 選擇解答詳細的書

有時在作習題時，偶爾會碰到，用不同的方法解題時，也能得到正確的答案。經過幾次的演算後，相信這並沒有錯。

但是，在眞正的考試時，我們不能保證是否還會出現偶然的機會。作習題的練習，並不是用來測驗偶爾作對的正確率是多少。而是用來測試那些錯誤的觀念，導致那些錯誤的解法，是一種用來檢查的工具。因此，與其選擇題目多但只有寫出答案的書，不如選擇解答詳細的書。畢竟演算的過程比答案來的重要多了。

51 有了基礎的實力後，選擇「項目別」的題庫

在選擇題庫的書時，特別是在選擇數學科方面，應該把握住一個原則，讓自己的實力，和花時間作練習，二者的關係是成正比的成長。當發現自己雖然很用功的作練習但成績却不見得提高時，再次地，使用現在我們所要談的方法，自我檢查一次。

以項目別爲主的題庫書，是針對於已具備基本基礎能力的人爲主。例如，等差數列等的問題，必須先瞭解公式，求和的公式、求一般項的公式等，而且要經過多次的練習，確實地學會這些基本能力。當具備這些能力以後，想讓自己更上一層樓，進而學相關連的問題時，如果還依原來的書、公式，照著答案一一的練習，那麼將不能擴展自己的實力。

因此，這時候應該以項目別的書爲主。例如買「數列、級數」的書來自我練習。而且依書的初級、中級程度循環漸進，如此方能達到成效。

依自己的實力和目的來選擇書後，且要從頭到尾徹底的練習，才能見效。如果能按部就班的練習，至少能增加百分之十的實力。

52　題庫的題目，不一定要全部作完

題庫的書，是依照問題的難易程度來排列的。使用題庫時，首先應先把基本的問題仔細地作完，然後選擇應用度高的題目來作練習。

不照書本的順序，而先作完基本問題後，選擇適當的應用問題作練習，如此早一點征服這本書，不僅提高讀書的效率而且實力也隨伴而生。雖然是要跳著作題目，但不是要大家沒有章法地胡亂練習。而是選擇偶數頁，或奇數頁的題目，有規則性地練習。

53 利用作題庫時，發現自己不會作的問題

作練習時，遇到不會的問題時，不要太悲

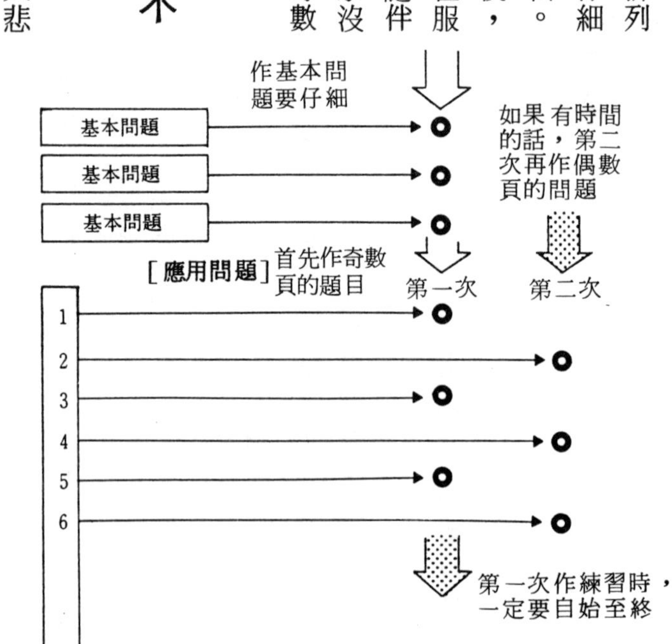

觀，反而應該高興才對。因爲它告訴我們自己的弱點在這裏。如果克服了這個弱點，自己的實力不又向前跨一大步了嗎？因此遇到不會的問題時，照下列的順序，把它攻破。

①有時不會解題，是因爲不懂題目的意思，因此，首先仔細地再讀一遍題目。

②有時是因爲對題目的基本觀念不清楚，所以再一次地查閱教科書，有關題目的資料。

③如果還不知如何解題時，只好看解答，熟練以後，在題目上面打一個○記號。

④被打○記號的題目，一週內還要練習作幾遍。

⑤自己能解的題目打◎記號，看解答而解的題目打◉的記號。

如此地打上○、◎、◉，這些記號後，不但可以看出自己的解答能力，而且這個方法，使我們會作的題目愈來愈多，不會的題目愈來愈少。有的人，只作自己會的問題，放棄不會作的問題。考試時，雖然有的時候可以拿到好的分數，但是一旦遇到自己不拿手的題目時，就束手無策了。作題庫，不但幫助自己提高實力，而且幫助自己發現自己的短處在那兒。

54 活用英文的題庫集，培養英文的推理能力

考英文時，遇到沒看過的文章，或生字時，馬上就放棄的人，應該很少。大部分的人都會再仔細想想句中的意思如何。在看中文的文章時，即使有不知的生字，我們仍然可以掌握文章的意思。因爲可以從上下文大約地猜出生字的意思。相同的道理，看英文的文章時，也可以利用這種推理的能力。因此只要具備這推理的能力，遇到不懂的生字時，就可以不慌不忙，平心靜氣地答題。

當然，這推理的能力，是靠平常的訓練而具有的。每天接觸一題或二題，自然而然就會具有這個能力。因此先不管一些枝葉末節，首先把全文簡單地閱讀一遍，抓出文章的構造。再依序找出主語、動詞，把重要的地方劃線。如果還有插入句的話，一一地分析出來，一個個克服，而且要試著把文章翻譯出來。至於不會的單字，先猜猜看，等整篇文章翻出來後，再查字典。

剛開始練習時，或許猜不太到眞正的意思，但是在練習動腦筋的同時，推理的能力在無形中就培養出來了。

55 作數學時，一定要記住其解法

作習題時，遇到有小子題的題目時，如果不能把這小子題求出來，表示自己對這一類型題目的應用能力不夠。只是熟練一般單純的題目，不能說是有實力，也不能說是有效率的學習。

如果要在短時間內提高學習的效率的話，一定要在平常作練習時，要記住那一型的問題要用那種解法，也就是說看到題目時，「啊！我知道這類型題目的解法」，平常具有這種技巧，考試時就不怕一些變化的題目。在仔仔細細地作完基本題型時，要多加強一些變化性的題目。

問：下面的式子和X軸有幾個交點

(1) ＿＿＿＿＿＿

(2) ＿＿＿＿＿＿

(3) ＿＿＿＿＿＿

這是二次方程式類型的題目

當 $ax^2 + bx + c = 0$

而 $D = b^2 - 4ac$ 時

如果 $D > 0$　則有 2 個交點＜解＞

如果 $D = 0$　則有 1 個交點＜解＞

如果 $D < 0$　則無交點＜ϕ＞

如此一一地解答。

56 遇到不會解的題目時，先想「爲什麼不會解？」的原因

在短時間內把問題的答案求出來，眞是大快人心。但是遇到解不出答案時，也有人因此懷疑，「是否題目出錯」、「這題目出得不好」。於是就把這些題目擱下來了。沒有想到，如果把這題目學會了，不但增加自己解題的技巧，而且更有實力向高難度的題目挑戰。

因此，如果遇到不會解的題目時，參考下列所舉出的例子中，自己屬於那一個。

①不懂題目的意思。

②不知道應用那些基本公式。

③雖然知道基本公式，但不知如何使用。

④雖然知道解法，但求不出答案。

⑤解答到一半，不知下一步要如何作。

⑥出現不知道的生字、用語，妨礙作答。

⑦出現相似的答案，不知選擇那一個。

把理由找出來後，寫在筆記的解答欄裏。然後再看解答，或去問老師、同學，把眞正的解法、來龍去脈弄清楚。

如果知道自己不會解的原因在那兒的話，那要解決問題就比較簡單了。要是連不會的原因都不知道，只是在問題上打上記號，或是只背答案，那永遠都沒辦法增加自己的實力。

例如，方才我們所談到如何找出自己的問題原因中，我曾舉出七大要訣提供大家參考，現在我們一起來檢討，爲什麼會出現這些問題。

①的問題是，不懂題目的意思，這大概是沒有好好地讀題，或者是自己對於長文章的理解力不夠。

②是因爲對於基本問題的理解、整理得不夠徹底，所以才導致連基本事項都不懂。

③是因爲不會使用基本公式，那是因爲基本習題，作得不夠多。

④是，知道方法却作不出答案，那是因爲演算的過程中有了錯誤。

⑤是，自己茅塞未開。

⑥是自己的語彙能力不夠。

⑦是洞察力太弱。以上這些分析提供給讀者作參考，如果能除去這些問題，那一定能提

高自己的解答能力。

57 爲補充教材準備一本筆記簿

爲了加強學生的數學，在學校老師常會補充講義，或指定某題庫的書爲補助教材。有的學生，會把作補助教材的練習，寫在上課用的筆記本上，這樣會打斷整個上課用的筆記的順序，等到要總複習時，會混亂不清，難以整理。

因此，準備一本新筆記簿，專門用來作補充資料的練習。依上課的進度，把補充教材從頭到尾徹徹底底的練習。在每單元開始的地方，先留一到二張的空白部分，用來作要點整理，或抄寫定理、公式等。

58 把問題的解法黏燒在腦裏——一分鐘記憶術

作習題時，一般都是作完一題後，鬆口氣，再繼續作下一題。這些習題，偶爾也會在考試中出現，此時，是否能如同平常作練習一樣，順利地把答案解出來呢？

有時，把問題的答案求出來了，不一定就能安心。因爲，有時候是靠著提示，或是無意中把答案求出來的，一旦到了考試，遇到同一題目時，是否能解出答案，還令人懷疑，相信同學們一定曾有過如此的經驗吧！

如果要養成眞正的解題能力，基本上除了要能解出正確的答案外，最重要的是能精通每一類型題目的解法。這樣才能應付同一系列的問題。

因此，作完題目時，利用一分鐘的時間，回顧方才的解法，「這題目的解法要點是什麼？」「基本公式是什麼？」「這類型的題目還有那些？」如此把這些要項裝入腦子裏，閉著眼睛，再把解題的重點或順序，重新地想一遍。

只是利用非常短的一分鐘，却有很大的助益。所謂「打鐵趁熱」就是這個道理。多花一分鐘，可換來永久的記憶。

活用考試卷的方法

59 預習、複習，老師給的講義——有助於學習

有時想在一定的期間內，作完某本書的習題，但由於書本內提供的資料不足，我們會去找別本書、或題庫的書，來補其不足的地方。可是我們往往會遺忘掉老師發給我們的講義。

在抱怨每天老師給的講義太多時，先想一想，老師為什麼要給我們這麼多的講義，自己能不能活用這些講義？講義是用來補充教科書不足的地方，因此講義的內容有閱讀的必要。所以應該視講義和教科書為一體。也應該作預習、複習的工夫。

每天回家後，先把當天的課業複習後，再把講義拿出來複習。要預習明天的課程時，同時也要把有關的講義拿出來預習。對於講義的內容，有不懂的地方，也要去查閱教科書或參考書，如此還不能找到資料時，應當去問同學或請教老師。

如此一來，講義不再是我們的負擔，反而能幫助我們提高預習和複習的效率。

60　在筆記本封面的內側，作一個放資料的口袋

經常把一些資料、講義全放在一個抽屜，過一段時間後，就忘了那些資料在那裏。甚至需要它時，找不到就懶得再找。養成偷工減料的學習態度。

如果在各科的筆記本裏，都作一個口袋，專門用來裝有關的資料、講義，在急需要用時，就能立即且方便地取出想要的東西，口袋的製作方法是利用信封袋（使用過的也可以），

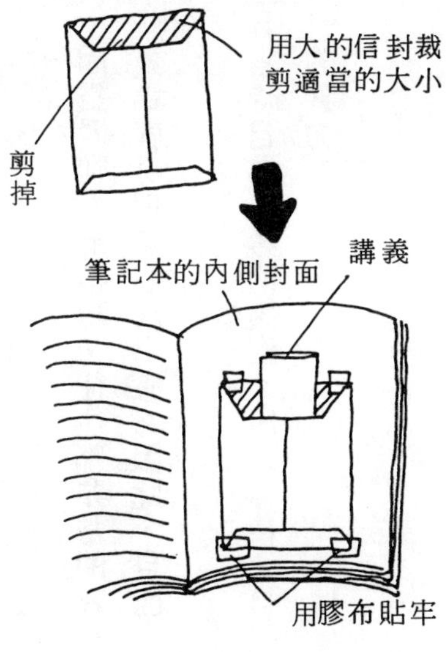

裁剪適當的大小後，用膠布貼在筆記本封面的內側。

61 利用收音機、電視中的教學節目

看完教學節目時，再利用三十分的時間來複習，因爲看別人解答時，往往都非常的容易，而且有時根本不知爲何要如此作，只知道利用某些公式就可把答案求出來。因此，自己一定要重新思考後再作一次。

而且看（聽）別人解答時的說話速度，未必配合當時自己思考的速度。所以事後，自己一定要再練習一遍，這樣才能把別人的東西變成自己的實力。

62 利用發還囘來的考卷——猜題

發還的考卷，除了要把錯的地方重新作一遍之外，還要把考卷上的題目，在筆記本上找出來。把出來的題目，在筆記本上打個記號。除了把題目找出來之外，還需把使用的基本事

項或公式作上記號。

把這些題目整理後，大約可以看出老師出題的傾向，根據這個資料再來猜題。如果找不出題源時，大概是自己的筆記作得不夠好吧！

63 藉著檢討考卷，提高分數

當考卷發回時，一般人只注意自己的分數以及名次，幾家歡樂幾家愁。分數和名次的定義，只是用來評量自己讀書進步與否。

最重要的是把作錯的地方指正出來，查看自己是否有再犯同樣的錯誤或僅是粗心大意，或是前半部寫對，後半部寫錯等，如此地仔細檢討。

如果是粗心大意的話，要提醒自己不要再犯同樣的錯誤。至於完全不會的題目，不大大地下工夫就不行了。趁傷口還沒變嚴重以前，趕快治療，否則……。提早補救也可預防它變成自己最弱的一科。

同時，也可以用另一種方式來檢討考卷。在滿分為一百分中，如果考了八十分，那麼在被扣的二十分的題目中，如再加強後，可以得到九十五分？或者不論再如何地加強也只能得到八十五分而已。藉著考試檢討自己的讀書方法，這才是考試的最大意義。

第三章　聽課的方法

——將上課內容漸漸地裝入頭腦

聽課的方法

64 上課時與其忙於抄寫，不如用心聽講

很多人在上課時，只忙於抄寫筆記，結果老師上課的內容都沒有注意聽。由於注意力都集中在書寫上，所以老師說的話，當然是有聽沒到了。既使筆記作得再好也沒用，如此，眞是本末倒置。

雖然抄筆記是很重要的，但是好好地理解老師上課的內容更重要。要把老師上課所

講的話，和黑板上所寫的字，全部都抄在筆記上，似乎是不可能的。而且，與其冗長地抄一大堆，不如先把重點記下，回家後或下課後，再整理寫在筆記本上，如此才能提高讀書的效率。

65 不要忽視老師上課所說的笑話

讀歷史時，誰都討厭死背年號、人名等，像這些年表，在教科書或參考書裏，很少以合轍押韻的俏皮話、或花言巧語的方式來書寫，殊不知道，這些人名，年代最好是以輕鬆、有趣的方式來背誦是最好的。

知道這秘訣的老師，上課時就用非常有趣的方式來表達。當老師用俏皮話在說時，不要把它當作笑話，聽一聽就算了，應該馬上記下老師所說的大綱，而且用紅筆記在筆記本上。當翻開筆記，看到抄的筆記，馬上就能連想到，老師上課的內容和老師說話的樣子。因此老師的肢體語言也可以幫助我們記憶。

如果可能的話，甚至可用唱出聲的方式，背誦要項。那麼的話，再枯燥乏味的資料，都可以輕鬆愉快地記住。

66 老師的最大利用價值——請教老師問題

當我們遇到課業上的問題時，一定馬上找參考書、或找字典，我們何不試試看，先不查閱參考書，而先去問老師。

老師很喜歡同學來討教問題，表示同學喜歡這門學科，同時樂意提供自己所學，來解答同學們的疑問。所以老師在回答同學的問題時，也會不知不覺中，一遍又一遍地爲同學解答。同學也因爲老師詳細的解答，而收穫良多。有時只問一個問題，却可以得到二倍以上的知識，這是參考書無法取代的。

67 克服害羞可以提高實力

在同學面前，舉手問老師問題，這需要很大的勇氣。有時我們有疑問想請教老師時，一想到「問這麼簡單的問題，同學一定會笑我」，「或許這問題能在教科書找到，老師會怪我沒看書」這些想法，往往使我失去發問的勇氣，而求知的態度也趨於消極。

雖然是簡單的問題，但有時卻包含重要的觀念問題。因此不要考慮太多，有不會的問題舉手就問老師，這往往是提高自己實力的最好方式。尤其是自己最弱的一科，更應該積極地請教老師。

68 與其回答「不知道」不如回答「正在研究中」

當結束一個單元或作完一題數學題目，老師常會問同學「有什麼地方不懂的」或「不懂的地方，請問」。但是對於剛學的東西，有時自己也不知道自己是否都懂。而當時能舉手發問的，都是對本科目極拿手的人，對老師剛才上課的內容，都能理解的人。

對這科目比較弱的人，難道全部瞭解老師的話？真的沒有問題嗎？這些人除了聽別人發問外，沒有其他辦法嗎？不，應該不是這樣。當回答老師的質問時，與其回答「不知道」、「不懂」不如回答「正在研究某一點」。也就是說，對於不清楚的地方，在老師的究問之下，可以大大地指出來，老師也會針對此點再解釋一遍。

最初以「正在研究中」來作爲回答，雖然只是用來求證，自己是否眞的明瞭問題。但久而久之，就能判斷自己是「懂」或「不懂」，而且能清楚地知道不懂的地方在那裏。也可能因爲如此，對此科目愈來愈有興趣，自然地此科目也變成自己的拿手科目了。

「問題」往往是使我們更上一層樓的推動力，「不知道問題」往往是使自己無法突破的禍首。

69 問數學問題的技巧

常常聽到同學因不滿意老師的回答而發出的抱怨聲。也有些同學，因爲問老師問題時，覺得老師不夠親切，因而討厭數學。如果老師是如此不受歡迎的話，那麼，全班的同學應該每個人都討厭老師，討厭數學才對。事實上不然，班上的同學，也有喜歡數學的，而喜歡老師的也大有人在。因此數學不好，討厭數學的原因，不在老師身上，而是在自己身上。

如果問，老師爲什麼不替我回答我不知道的地方。那是因爲，同學不知道的地方，老師在課堂上已經說過，而且只要查閱課本或筆記便可知道。老師要是不如此作，那麼同學就不能眞正地學會。爲了學生才如此作的老師，你說老師是親切呢？還是不親切？數學不好，是因爲不知道讀書的方法。所以不要把責任推卸給老師。如果遵守下列三個規則，或許能幫助同學來學習數學這門科目。

①請老師把新出現的詞句或公式、定理，一定要當場介紹，如果不明白這些公式、定理，就沒辦法使用。

②介紹後，一定要等大家都明白了，才開始運用。

③請老師把同樣的說明，講二遍，好讓同學能牢記。

同學自己也應該好好地聽講，把一天內的說明，回家後整理出來，以便日後的複習。

70 作「副業」反而是浪費雙倍的時間

很多同學常利用和考試沒關係的課，來看自己的書，一邊應付老師的課，一邊讀參考書，或查字典。表面看起來，這些同學似乎很愛惜時間，很會利用時間。但是到目前爲止，我還沒看見這類同學有更好、更突出的表現和成績。

避著老師的耳目，持著一顆怕被發現而警戒的心。如此讀書，眞能把書中的東西裝入腦子嗎？雖然是和考試沒關係的書，但是有些課程的內容是一些基本的生活常識，對同學而言，也是必須要懂的常識。同學在課堂上不注意聽講，反而作自己的「副業」，如此一來，不但基本常識沒學到，而自己的副業也作不好，可以說是浪費了二倍的時間。

71 爲了鼓舞士氣——利用老師

我們常看到棒球迷，拿著球給職業選手簽

名，然後爲自己的偶像加油。由於熱情球迷的加油，也使得選手的技術日增愈上，因此對選手而言，爲球迷簽名，可說是最大的振奮劑。

把簽名的效果應用在讀書上，同理可知它的威力不下於前者。也就是說，要燃燒起讀書的慾望，讓成績進步，最好是筆記本上留有老師寫的字句。

偶爾在筆記的一角看到老師寫的字句，「啊！老師曾說過，要注意這個地方」，如果看到這字句，就回憶起老師的話，受到這個激厲，就會努力地想把筆記作好，把書讀好，自然地自己的成績就會進步。

雖說留有老師的字跡是很重要的，但是當提出問題時要怎樣才能讓老師留下筆跡呢？

當問老師，「這題要怎麼解呢？」老師會接著說，「嗯！就是……」。當老師開始要解說時，立刻把筆放在老師面前，「請老師寫在這裏」。事後把老師寫下的部分，用線條畫起來，以區別其他的部分。

也可請老師幫我們修改英文作文，老師用紅筆修正的地方，也可當作紀念而永久保存著。

上課中作筆記的方法

72 當老師說題外話時，正是整理筆記的好時機

在一小時的上課裏，像波浪一樣，有高峯，有低潮。波峯時，一定是重點出現的時候，老師的臉色也變得嚴肅起來，學生當然也摒息地注意聽講。如此緊張的氣氛不可能長久的持續著。經驗老道的老師會緩和一下氣氛，一邊說同樣的一件事，一邊說輕鬆的話題，讓學生輕輕鬆鬆地笑一笑。

在這很輕鬆的氣氛中，只用來聽笑話，實在是太浪費時間了，因此這時是用來整理筆記的最佳時刻，或許可以把剛才上課內容的百分之八十整理好也說不定。

73 寫筆記時，視線不要從老師的臉離開

一位技巧熟練、經驗老道的攝影師，當他獵取到攝影的對象時，會把鏡頭一直對著目標，等待按快門的時機，如此任何優美的鏡頭將不會逃過攝影師的眼睛。

筆記簿就如同是上課情形的映象，而且用文字把影像描寫下來。也就是說遇到好的鏡頭時，如果不抓住機會，好好地把它描寫下來，將不能寫成一本內容充實的好筆記。爲了隨時抓住好的鏡頭，就要隨時盯著老師，不要讓視線轉移到別的地方。

注意看老師的臉，聽老師說的話，是非常重要的。

因爲從老師的表情、聲調，舉手投足，就可知道那些是該記的重點，那些是不重要的，利用敏捷的觀察把重點抄下來的動作好像是筆記簿的快門一樣。

可是，注意老師的一舉一動，那怎能再抄筆記呢？一抄筆記的話，就抓不到老師的一舉

一動了。如果老師正在講重要的地方，那怎麼辦呢？要不然就是一味地抄筆記，而在拚命抄寫時，老師一連串的話早從頭上穿越過了，而同學的筆記只寫了一半，同學應該有此經驗吧！常在筆記上看到前後文不連接的「斷層文」吧！

又要眼不離老師，又要記筆記，那怎能同時作二件事呢？當然這兩者可一齊作的技術是你我都不可能作到的。

因此，能把筆記作得很好的人，他們是，把臉朝向老師，要抄筆記時，快速地抄寫，馬上又把頭抬向老師，如此頻繁地作反覆動作，就好像畫家在寫生時，眼睛不斷地在實物和圖畫紙上兩地游走。

74 把實驗、實習的成果用相機照起來，把相片貼在筆記本上

如果認爲相機只用來拍相片留念，或只用來抓住刹那的美好鏡頭，那可能錯了，如果利用相機，把它當成記錄的裝備，那才眞正地發揮了它的效用。

例如，課堂中作的實驗或實習，有時實驗的裝置、操作都很複雜，如果要詳細地記載下

來，恐怕就聽不到老師的說明。

因此，此時最好用相機，把實驗的裝置、操作，都拍起來，然後再把相片貼在筆記本上，在相片的旁邊寫上說明即可。如果能用「拍立得」相機更好。大約一分鐘後就能馬上看到相片。

75 橡皮擦是作筆記時的敵人

作筆記時，當寫錯字時，一定馬上拿出橡皮擦，開始擦掉方才寫錯的地方。這摩擦的動作，就像車子剎車器一樣，使我們抄筆記的速度慢了下來。而且在擦筆記時，老師依然地在繼續講課，如果只顧著擦筆記，那老師說的話就沒聽到了。也就沒辦法再接上文繼續寫下去。從另一方面來看，雖然筆記抄得很整齊、漂亮，但是文章的內容片片斷斷，沒辦法接續完整。

這些同學，往往沒有發現，是因爲使用擦子，才使抄筆記的速度慢下來的。而怪自己寫字的速度爲何如此地慢。

用毛筆寫錯字，是不能用擦子擦掉它的，因此，在開始寫毛筆字時，就會小心翼翼地用心寫，因此很少會寫錯，而且字也會寫得很漂亮。當然速度也會慢慢地加快。古時候的人，不管寫什麼都是用毛筆寫的。如果連毛筆能運用自如，那麼使用鉛筆更沒話說。

在課堂上，除非是規定用鉛筆，否則儘量不要使用鉛筆，剛開始遇到寫錯的地方，或許還想拿擦子出來擦，但是習慣後，不但抄筆記的速度加快了，而且筆記的內容也完整多了。

76 漏抄筆記的補救方法

當老師要家庭訪問時，一定要依循著同學畫給老師的地圖，老師才能找到同學們的家，如果在地圖上忘了標記一些大目標，那麼老師往往很難找得到同學的家，甚至迷了路。

當我們在閱讀筆記時，如果依序閱讀後，不能馬上明瞭這全文在說些什麼，此時眞是令人頭大。

這是因爲漏抄了老師的說明，或者是，這個地方本來就很難，不知如何處理，於是就跳過去，接著寫別的事項，所以才導致全文不能連貫。如同在畫地圖一樣，如果把不清楚的道路省略不畫，那麼前後街道不能連貫，如此也會把人搞得暈頭轉向的。

在上課作筆記時，如果遇到這種情形時怎麼辦呢？這時候先把題名寫下來。然後空五～六行的空間，接著繼續寫下面的項目筆記。等下課後，再借同學的筆記來參考。把空白的部分補上去。如此一來，不僅保持筆記的整齊，而且更能保持文章的流暢。

77 作筆記時，把上課的內容分成三部分

說相聲時，說話的內容，大約都是以有趣的方式來表達，以引起大家的興趣。而且說相聲時，不是馬上就進入主題，而先有一段引子，然後讓聽衆在不知不覺中才進入主題。老師並不是一位說相聲的專家，不知道如何來吸引學生聽課。但是仔細聽老師說話，可以發現，老師剛開始上課時，先會複習上一堂的部分，而且話題都很輕鬆，好像是先提起大家上課的興趣，於是我們可以把這部分時間叫做「導入部」。

於是這堂課，就由導入部而進入今日上課的主題，最後才進入整理。如果還有空餘的時間，可以用來複習今日上課的內容，或者讓同學發問問題。

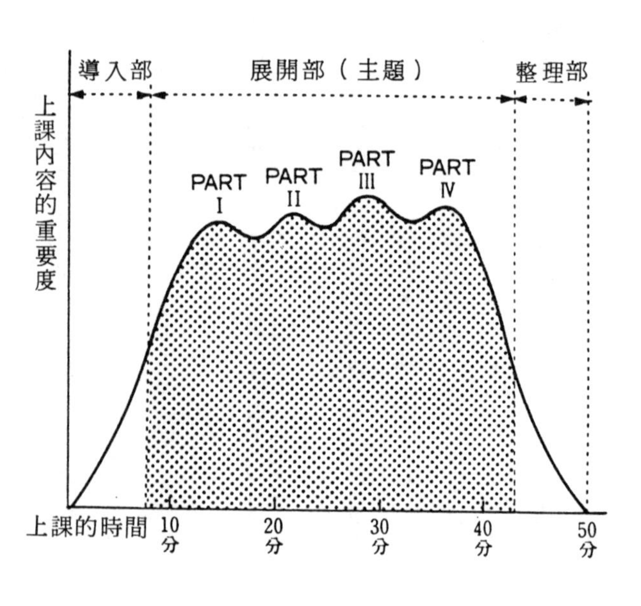

如果從筆記本的記錄，來看這堂課的流程，會是怎麼一回事呢？剛開始時，一定寫得不多，如果一開始上課，老師先復習上一堂的內容時，就可以翻開前面的筆記，把老師正在復習的部分，用紅筆畫起來，如果有追加的事項，須找空白的地方再加上去。老師有時候會把上一堂忘了講的重要事項，利用下一堂剛上課時來補充。

「今天，我們從××開始」，老師如果說了這句話，那麼「展開部」就將開始了。在這段時間內，可以分爲第一部分、第二部分等……一個小時中，大約可分爲三到五個部分。每個部分都有不同的要點。有些老師慢慢引導學生進本論，但是學生却沒發覺，這樣雖然是很好的，而且老師也是用心良苦，費了很大的工夫才作到，但是抄筆記的同學們因此找不到那裏爲止才是主題的開始。

最後進入「整理部」。如果老師利用那時段，複習方才上課的內容，此時也要和自己的筆記一齊整理，把重點用紅筆畫起來，不明白的地方趕快問老師，借同學的筆記，把空白的地方補起來。當下課鈴一響，這門課到此結束，如果今天上課內容的重點很多的話，利用休息的時間，仔仔細細地再整理一遍。

78　幫助複習的方法——實況描寫法

如果有多餘的時間時，也可以在筆記的一個小角落，記下當天的日期、星期、天氣狀況、教室的樣子。以後翻到這一頁時，可以把當時的情況浮現在腦子的銀幕裏。同時也可以清楚地想起學習的內容。

而且也可把老師大致素描一下，或是老師說話的姿勢等。這可用來加強自己對當時的印象，當然，老師的缺點是不宜記下的，因爲如此會使自己心理不安，反而得到反效果。

79 節省作筆記時間的方法

爲了使作筆記的速度能加快，所以自己懂的地方，教科書裏已有的資料，就不要一一地再抄在筆記本裏了。不僅可以節省時間，而且可把注意力全部集中在補充資料上。

但是，有時會忘記，那些才是教科書有，而自己沒抄的資料。因此，此時應該留下空白，寫著「參考教科書的××頁」，或者是「參考課本第×頁的插圖」等字句，如此就不會遺忘了。

例如上歷史課時，老師談到「科舉」，而老師介紹科舉的內容大約都和書上的一樣，因此就沒必要再寫在筆記本上。只要在筆記上寫著「科舉」「參考教P××即可」也就是「這說明請參考教科書的××頁」的意思。

再如，生物課本上往往在很多很詳細的插圖。如果要把那些圖詳細地畫在筆記上，不但沒時間，而且沒有此必要。因此如需要圖表來幫助瞭解時，可以先畫一個簡單的插圖，然後「教P××（10）」這個意思，就是「請參考教科書××頁第10的插圖」。因此在複習時，如果有時間，再把插圖詳細地畫在筆記本裏。

80 黑板上的圖表，要一一加以說明

當老師要向學生說明複雜的內容時，常在黑板上把重要的地點、圖形，寫在黑板上，利用箭形的符號，上下左右地把有關連的事件連在一起。或者利用箭頭表示移走的方向。如果把圖畫在筆記上，只看著那些圖和線條，却想不出那些圖和線條代表什麼意思。方才是因爲隨著老師的講解，所以才能很清楚地明白。但是一旦沒有老師的解說，也就不知道圖表的意思了。因此，老師每畫一個箭頭的符號，就把它代表的意思寫下來，如此便不會造成困擾了

。

例如下面的圖是西洋史的筆記，地圖上有很多用箭頭來表示。因此應該在箭頭的後面加以簡單的說明。不懂的地方可以問老師。

81 作筆記不是在寫文章

作筆記時，不同於寫文章，所以不要所謂的起、承、轉、合的規則。

如果作筆記時，寫成一般文章似的內容，那麼要抓出文章的重點時，一定要閱讀好幾回，否則不容易抓住要點。相反地，如果把要點片片斷斷列舉出來，又顯得太無組織。因此最好是把重點整理成一～二行的短文。如此比較

地理的筆記〔A〕

世界上可以分爲三種類型的國家。
第一型是以美國、英國、法國、德國、義大利、日本等國爲主的工業國。這些工業國家，從外國輸入原料，製造成品後再輸出到世界各地。但是也有例外的，那便是美國。
第二類型的殖民地、自治區和新獨立的國家等，例如：東南亞、拉丁美洲、非洲、澳洲、紐西蘭等。這些國家把原料、食料輸出，然後輸入製成品。
第三類型的國家是介於第一類和第二類型的國家之中……。

好記。

82 作筆記時，要留白

教科書和參考書等印刷書，在一頁的紙上印著密密麻麻的資料，絲毫不浪費一點空白的地方。但是作筆記時，不要學教科書，或參考書一樣，寫得密密麻麻。尤其是愛整潔的人，爲了美觀，常把一頁筆記寫得滿滿。所以要特別注意。

如圖所示，同樣是地理的筆記，A圖的筆記，雖然記載很多的資料，而且寫得很整齊，但是，當我們要找出重點時，要花費較多的時間閱讀本文後，才能找出重點。而且所標示的

地理的筆記〔B〕

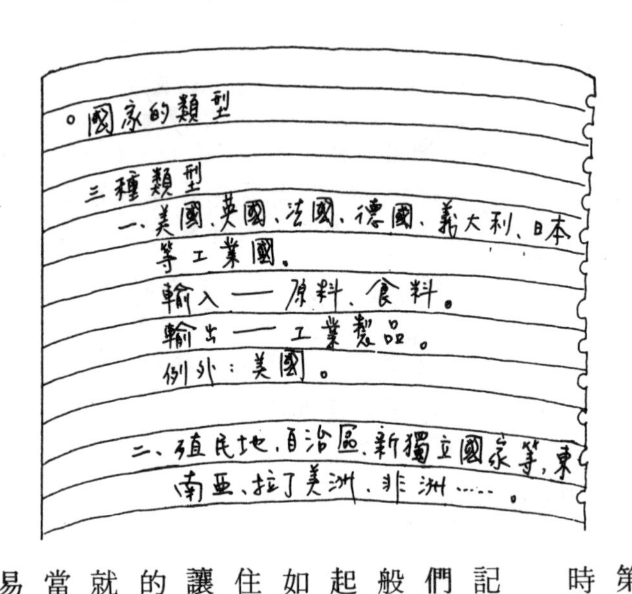

第一型或第二型等記號，沒有特別的題目，有時還會將這重點遺忘。

我們再來看看B圖，當我們一看到B圖筆記的內容時，一眼就可以了解文章的內容。我們之所以可以一目了然，那是因爲它不是像一般文章一樣，而且每一個段落都空出一行，看起來很舒服，首先寫上主題，然後空出一行。如此可讓讀者明顯看出標題，而且可以容易記住。再者，例外的部分，也是單獨成立，爲了讓讀者可以一眼看出來，而且希望能加深讀者的印象。如果能把例外牢記，那麼其他的內容就容易推想出來了。這是一種很好的強調法。當寫第二項目時，要和前文隔一行，如此才容易辨別這段文章和上文的始末。

83 作筆記不一定要用文字記載

如果認爲作筆記一定要用文字記載，那是呆板的想法，因爲有些題目不是用文字所能表達的，爲了讓人能一目了然，有時使用圖表法是最明智的抉擇。

因此我們應丟掉固有的觀念，以圖表作爲筆記的方式。當然作筆記的方式，還是必須以科目的需要爲前題。不能一味地都用文字記載的方式，或是牽強地用圖表的方式。當我們以圖表的方式爲中心時，可以利用圖表以外空白的地方，來作說明。

這時候，圖表儘量畫大一點，比較容易了解，當圖表需要說明時，可以把說明文寫在該部位的旁邊。且用直線把說明文和該部位連接起來。而說明文的順序不一定要由上往下寫。如果老師由圖的中間部分開始說明的話，那我們也跟老師一樣從中間開始寫筆記。

左圖是物理科的筆記：老師用圖來說明垂直投射。而以⑴⑵⑶⑷式的順序來說明。如果沒有標這些符號，就不知道老師說明的順序。

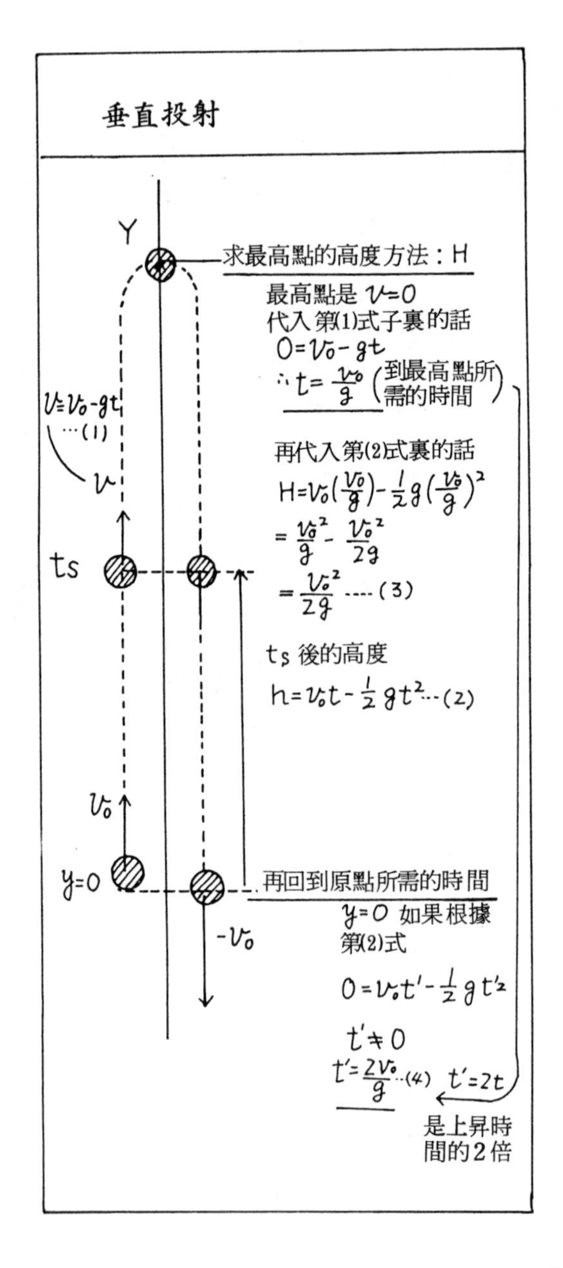
垂直投射
Y
求最高點的高度方法：H
最高點是 $v=0$
代入第(1)式子裏的話
$0=v_0-gt$
$\therefore t=\frac{v_0}{g}$（到最高點所需的時間）
$v=v_0-gt$ …(1)
v
再代入第(2)式裏的話
$H=v_0\left(\frac{v_0}{g}\right)-\frac{1}{2}g\left(\frac{v_0}{g}\right)^2$
$=\frac{v_0^2}{g}-\frac{v_0^2}{2g}$
$=\frac{v_0^2}{2g}$ ……(3)
ts
ts 後的高度
$h=v_0t-\frac{1}{2}gt^2$…(2)
v_0
$y=0$
再回到原點所需的時間
$y=0$ 如果根據第(2)式
$-v_0$
$0=v_0t'-\frac{1}{2}gt'^2$
$t'\neq 0$
$t'=\frac{2v_0}{g}$…(4)
$t'=2t$
是上昇時間的2倍

84　利用符號，來節省寫筆記的時間

當我們看到禁止通行或單行道的交通標誌時，立即明白它所表示的意義是什麼？交通標誌是用來讓行人或駕駛的人看了以後，大家遵循規則，維持交通的秩序，使道路暢通無阻。如果把這些交通號誌，都改成用文字說明的話，駕駛人要一邊閱讀說明，一邊要駕駛車，不發生車禍才怪。

把使用交通號誌的觀念，運用在筆記本上，也就是說，使用自己創造的簡單符號，運用在文章內容裏，不但可以節省時間，而且便於閱讀。

現在列舉幾個標誌，以提供大家參考，只要大家一開始作筆記時就選擇好，運用在文字裏是非常方便的。

‖等號

——所謂×××的意思

A～B：從A到B

用。

··········例如、例外

———→‥結果、變化

←——→‥加深相互的關係

以上的符號，不一定要使用在每一科目上，而是依科目的需要，再選擇適當的符號來運用。

而且，數學所使用的符號，也可使用在其他科目裏，例如，使用在化學、物理上。例如，我們就常把數學上的∴（所以），∵（因爲）的符號，運用在各科上，這些符號不僅使用方便，而且容易明白。

有時，我們也會使用英文單字的前幾個字母，來代表冗長的單字，或專有名詞。

F‥Force 力

N.Y.‥New York 紐約

OPEC‥Organization of Petroleum Exporting Counties 石油輸出國際組織

如果同學有時間的話，也可以把原文背一背，當然特殊的專門用語，沒有背誦的需要。

85　比較複雜、難理解的內容，用圖解方式來表記

老師上課的內容，或教科書冗長的文章，這些複雜的內容，如果要用文字來敍述，不僅費時，而且不容易了解。此時，最好就是用圖解的方式來說明。不但節省時間，而且一目了然。

86　錄影帶式的筆記

在一所有名的大學教授，上課時，只在黑板上畫一個圓圈，一邊看著圓圈圈，一邊講課

作用、反作用的規則

當物體A，用力推物體B時，B物體同時也有力推向物體A（反作用力）。二者的力是相等，但方向相反。

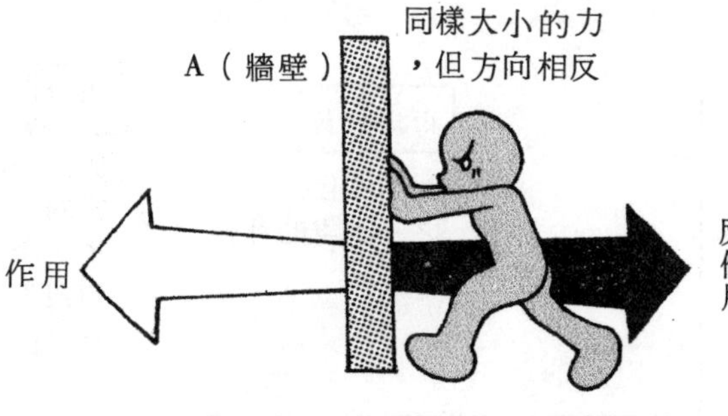

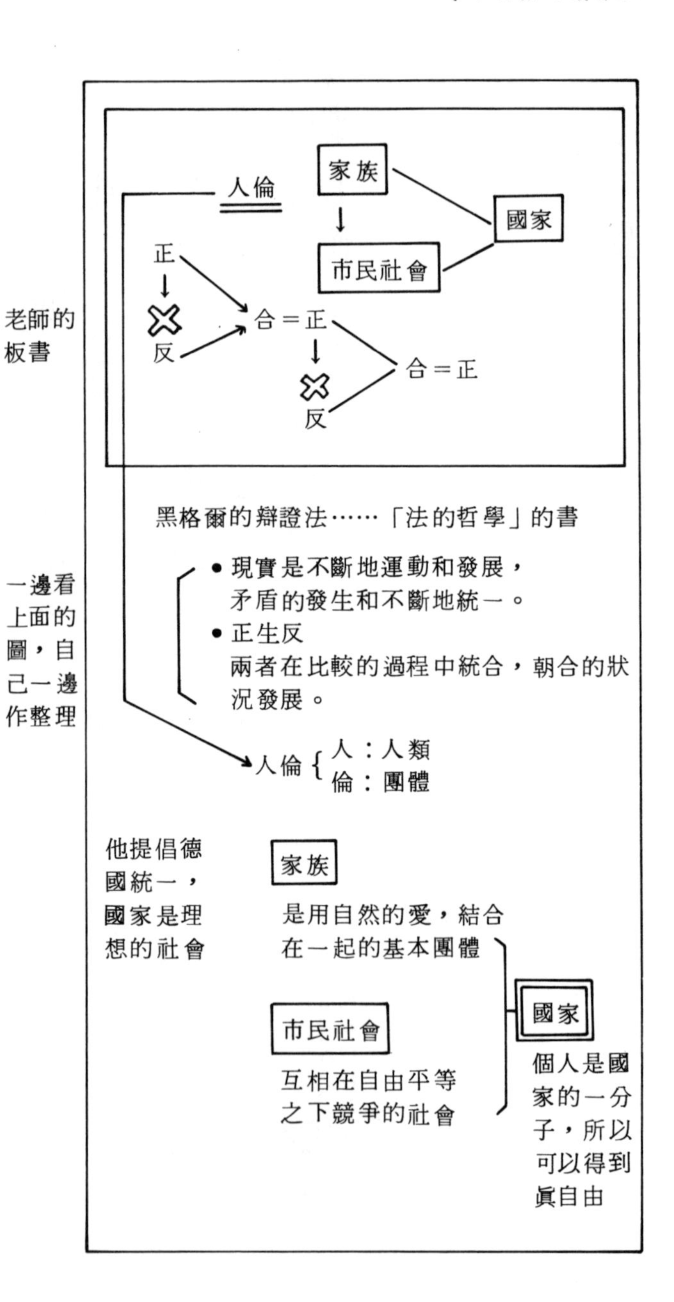
老師的板書
家族
人倫
國家
正
市民社會
合＝正
反
合＝正
反
黑格爾的辯證法……「法的哲學」的書
一邊看上面的圖，自己一邊作整理
• 現實是不斷地運動和發展，矛盾的發生和不斷地統一。
• 正生反
兩者在比較的過程中統合，朝合的狀況發展。
人倫 { 人：人類
倫：團體
他提倡德國統一，國家是理想的社會
家族
是用自然的愛，結合在一起的基本團體
國家
市民社會
互相在自由平等之下競爭的社會
個人是國家的一分子，所以可以得到眞自由

。如果我們也把圓圈圈畫在筆記本上，沒有任何的說明，或許當時覺得有趣明瞭的話題，過些時候再看到圓圈圈時，什麼也想不起來了。

雖然這種情形很少發生在高中、國中生身上。可是，高中或國中生也常遇到，老師在黑板上所畫的圖和寫的說明，和嘴巴正在說的內容，一點兒關係都沒有。當我們很不幸遇到這種老師該怎麼辦？此時應該作像錄影帶般的筆記，把影像和聲音分開。例如右圖的上面部分是黑板上的圖表，下面部分是老師說明的內容。

當我們想再看一次這篇內容時，可以一面參考上面的黑板事項，一面比較下面的說明，如此老師上課的情形栩栩如生地出現在腦海裏。

在一小時的時間內，老師也有可能舉很多的例子，因此，要把每個例子都編上號碼順序，如此才能知道上課的流程。

87　整理老師口頭傳授的筆記方式

上課時，老師一定會把重要的注意事項，整整齊齊地寫在黑板，我們把這些要項抄在筆記上就可以了。

但是，也有老師隨興的把重點散佈在黑板任何一個角落。雖然上課時，都能明瞭上課的內容，可是回家一看凌亂的筆記，什麼也連貫不起來。這是因爲，沒有把黑板上的資料整理後再記入筆記，而和老師的板書一樣，漫無章法。再則，因爲沒有把重要的句子、固有名詞，抄在筆記上的後果。

有些重要的事項，雖然老師沒有寫在黑板，但是老師由口頭傳授，此時，如果要作筆記，應該注意以下幾點：

⑴簡潔地介紹專門用語即可。
⑵簡單的介紹，並列在一起的項目，它們之間的關係。
⑶雖然是沒寫在黑板的重點，但老師一再口頭強調的事項，一定要抄寫下來。

88 課堂上把筆記作好，事後不用花時間再整理

如果要知道，上課是否注意聽講，從筆記的內容，就可知道答案。一般人經常在學校上

課時，把老師上課的內容，先打草稿，回家後再整理，重新寫在筆記本裏，如此一來養成重新寫的習慣後，每天在家一定要花一大半的時間來整理筆記。如果當天要整理的內容太多了，那怎麼辦呢？而且，如果不整理完，每次留下來的資料，將會囤積下來了。

再過一、二星期，再想整理資料時，早都記不起來那些重點了。因此，在課堂上時，就應作正確的筆記，也可節省許多時間。

89 上英文課時，不要把筆記作得太完整，只打草稿即可

要學好英文的秘訣，就是要作好預習、和複習的工作。有些人，因爲把筆記作得很完美，回家後反而沒有複習，因爲同學認爲「重要的要點，都已寫在筆記裏了」所以可以安心，不用複習了。

因此，上英文時，不要急於作筆記，反而是要注意聽講，如果怕會忘記，稍微打一下草稿，回家後，一邊看著草稿，再把重要的事項歸納整理。養成複習的習慣，才能提高英文的實力。

第四章　考試前的讀書方法

——提高得分的方法

有效的記憶術

90 既使在短時間內也可以克服弱點——利用紅藍原子筆

想要在短時間內，準備完考試的課程，首先要準備紅色和藍色原子筆。開始讀筆記時，要點的地方用紅筆作記號，不知道的地方，也就是弱點所在，用藍筆作記號。

第二回時，把作藍色記號的地方，再查閱教科書或參考書，所得到的資料再填入筆記本內。或者，借同學的筆記來參考。第三回看筆記時，把紅色記號部分、和藍色補充部分，都好好地背起來。這才是完善的準備。

91 考試的當天早晨，請不要太貪心

不管是否是入學考試，或是學校的期中、期末考，在考試的當天，我們都會害怕自己沒讀完的地方，會有題目出現。爲了消除自己的不安，於是在出門前，或者在車上，拚命地讀一些新資料，或是自己不熟的部分。如此臨陣磨槍也是於事無補的。而且是很愚笨的作法。

在考前寶貴的時間，應該把昨晚記得的地方再加以複習，如此地加深印象再確認一次，才能眞正拿到好的成績。不至於落到煞費苦心背的都忘得一乾二淨，而剛剛記得的，因爲沒有複習也記不清楚。

92 與其多作習題，不如多練習例題

在學校的定期考試前，如果對未來幾天後的考試尚無信心時，那麼再把考試範圍內的例題再重作一遍。因爲例題的應用度很廣，所以與其作很多的題目，不如作一題例題更有效率。

把例題的解答部分，用白紙蓋住，一端用膠布貼起來，不看解答，自己作一遍，作完後再掀開白紙對照答案，如果答對了再作下面的例題。

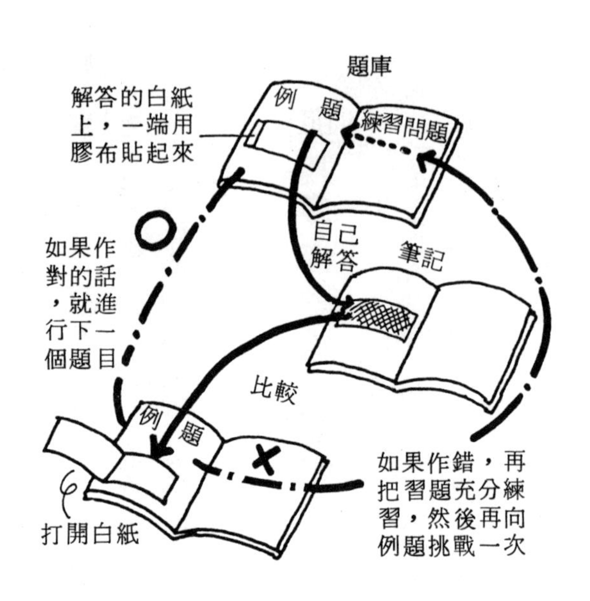

如果作錯了，再徹底地研究作習題，然後多作幾次例題。如此才能萬無一失。

93 猜題能提高分數

通常有些同學，在基本的書都沒讀完，就用考試的前一個晚上來猜題，如此投機取巧的方法，怎能奏效呢？但是「猜題」對於中上程度的人而言，的確有幫助。因爲這些人爲了讓自己的分數提高，於是作「猜題」的練習，所以不但有助於實力的培養，也可以提高現在的成績。

現在提出「猜題」的方法以供大家參考。

①首先以老師的板書內容爲對象。

②老師說話的內容中，特別強調的要點。

③如果教科書上註有「請研究……」「請詳讀……」的標誌時就必須特別留意這些題目。

④教科書裏的大黑體字、單元的總整理、注釋、新出現的用語等，都是出題的好材料。

⑤請教學長考古題。

⑥同學彼此集思廣益，一起猜題。

⑦如果自己是出題老師，我會出那些題目。

⑧把同一位老師，過去出過的題目，再看一遍。

這或許可以幫助各位猜題。而猜題只是爲了拿好分數而已，事實上，自己的實力還是要靠平日的累積，這才是最基本的。

94　從老師、同學的談話中，猜出考題

傳說中，鯰魚突然的出現了，就是大地震將要來臨。

考試對學生來說，也是如同地震對人們而言，是非常可怕的事。爲了預防考試後帶來的「災害」，所以必須提早作準備。因此考前，先把各科的筆記看一遍，在看筆記時，如果認爲「啊！這很重要」，用紅筆打上記號，如果認爲非常重要，就再打上一個記號。如果認爲絕對會考出來的題目，就打三個記號，這就是警報題目。

依照記號的個數來判斷其中重要性來猜考題，如此的命中率蠻高的。考試前在看完所有的筆記後，先把警報題目〈打三個記號〉作熟練，然後再作「注意的題目」〈打二個記號〉。依序再作普通重要的題目〈打一個記號〉。

同學可能會問，用什麼方法來判斷重點？

第一是，上課中老師特別強調的要點。第二是，同學們不懂的地方。第三是，老師要我們回家後自己練習的地方。由這三點來斷定那些題目是必須注意的。同學們以此爲據，相信對各位應該有所助益。

95　考試用的「補充筆記」越精簡越好

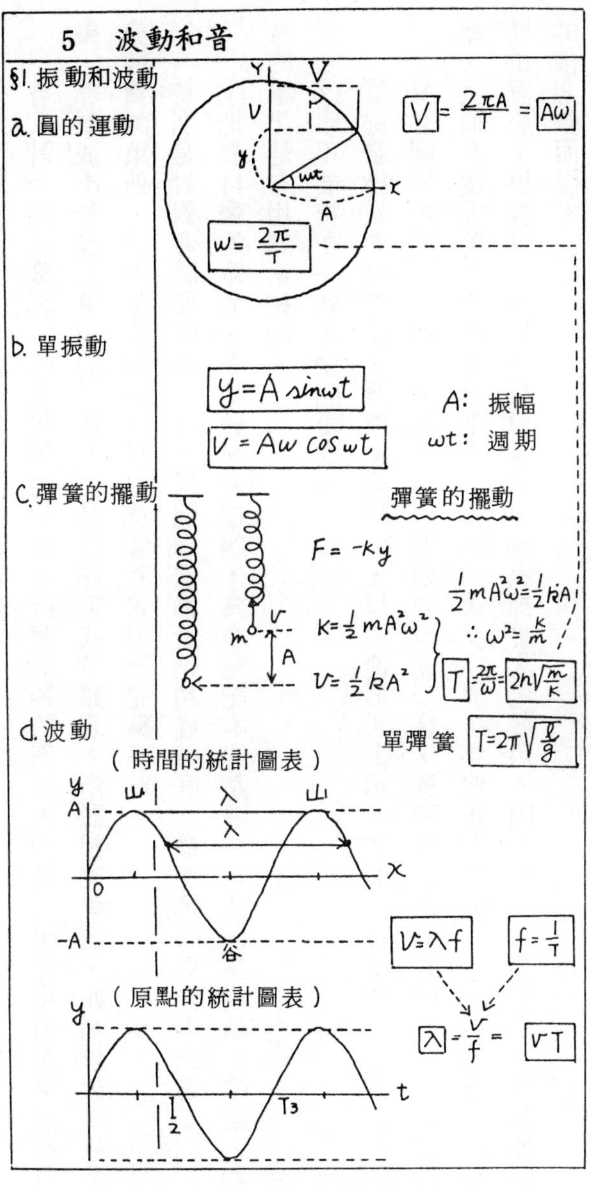

教科書六頁的內容，濃縮成一頁

所謂「補充筆記」，就是精簡的備忘錄。

有人對「補充筆記」所能發揮的效果，持著懷疑的態度。如果同學覺得補充筆記沒有效果，那麼並不是補充筆記的責任，而是製作方式的錯誤。所謂補充筆記，顧名思義，只是補充性質的東西，並不是要如同教科書或參考書那麼完整不可。

特別是針對考試而作的「補充筆記」當然是越精簡越好。最簡單的製作方法是：

①把教科書的章名、小標題、大標題，寫在筆記本的左邊，當然這些章名、標題，和當頁的筆記是有相關系統的。

②字不要擠在一起，中間要空行。

③儘量把資料條理化、圖解，或歸納，以這種形式表示，才能一目了然。

又有同學會問，「補助筆記，是否要如同筆記一樣，整理的有始有終呢？」如此想的同學，大概是受完美主義的影響吧！因爲翻開英文字典，字典告訴我們「sub」的意思就是補助的意思，以補助的性質，讓原本的東西發揮更大的效用。因此「sub-note」只是補助性的備忘錄而已。

當然完整的備忘錄是很好的，但是對於考試的補助備忘錄，我個人覺得，越精簡越好。

96 短時間內，能記住要點——作「檢查筆記」

在學校的定期考試前，或開始準備入學考試時，首先必須作的，就是要把學過的事項，作總複習，也就是要點的總整理。因此作「檢查筆記」可以把龐大的資料，在短暫的時間內記住。「檢查筆記」的作法，是在每頁的左邊，劃直線，通常劃三條就已經夠用。（也就是檢查三次）。再分別區分爲A欄和Q欄。在Q欄裏把要背的公式、用語等用疑問句的形式寫下來。在A欄裏，寫下答案，或說明。第一次看Q欄的題目，如果能正確答出來，就在檢查

檢查欄

1段	2段	3段	Q	A
✓	○	○	通過定點的直線方程式？	$y-y_1=m(x-x_1)$
✓	✓	○	通過2點的直線方程式？	$y-y_1=\frac{y_2-y_1}{x_2-x_1}(x-x_1)$ (但是 $x_1 \neq x_2$)

如果出現連續3個打勾的記號，要重新訓練一遍。

欄裏打個圓圈，要是答錯就打勾勾。每一題都要練習三遍。

97 幫助記憶——充分利用五官

當我們學會騎脚踏車後，雖然多年間不會再騎，但是某日需要用時，一定還能騎上脚踏車的，因爲騎車的方法似乎已成爲我們身體的一個動作了。當我們背單字時，不僅是要記在腦子裏，而且也要成爲身體的一部分，如此才不會忘記。

因此背單字時，不僅是用眼睛看，同時嘴巴要發出聲音，而且手也要跟著在紙上寫。如此，眼到、口到、手到，才能把單字熟背，而且不容易忘記。

98 考數學前的複習方法

考數學前，如果想把所有的重點題目重新作一遍時，總覺得時間不夠。因此，要解決這個問題，首先把題目讀一遍，然後寫出該題的大約解法，或者是運用的公式，然後對照答案，如果作法無誤的話，就不用從頭至尾作完。

完全作錯的話，把正確的解答理解後，再靠自己的能力解一遍，如此一來，應該有充分的時間在考前，把所有重要的題目重新複習一遍。

有效的解題術

99 考前的重點整理——濃縮筆記

大學生的定期考試方法，依照教授的喜好，而有不同的測驗方式。國中生、高中生的考試方法，大概都一樣，就是考試時，桌上只能放文具和答案用紙。有很多學者認爲，如此的考試方法，不能眞正地測出學生的實力。因此，有些老師准許學生把指定的書或參考書帶進考場。

但是，可以帶書進場的考試，往往不是翻翻書，就能找到標準答案的，而是要經過思考才能回答。因此，對於國中生或高中生而言，這種考試方式更困難了。

有些大學的老師，准許學生帶一張紙進考場，但是這張白紙是老師統一規定的紙。雖然是老師規定的紙，但不管紙上抄寫那些內容都可以帶進考場。因爲紙張的大小被限定了，所以學生不可能把教科書、參考書的內容全抄上去，一定要先經過整理後，選出重點才抄上去。表面上看來，這是一個很自由的考試方式，但是老師利用這個方法，也達到讓同學讀書的目的。

事實上，這是一個讓同學讀書的好方法。因為，每一個人都被指定帶這張紙進考場，所以這位老師班上的同學，都很用功讀書，而也有因為自己已充分準備，漸漸不依賴這張紙了。

雖然不是要同學去模仿上面的例子，但是何不試試看作考前的濃縮筆記。限制自己用一到二張的白紙，把重要的要點寫上去。讓自己牢記紙上的重點，考試時，再也不怕考試出什麼題目了。而且，為了準備要點，自己也一定熟讀了很多書。

100 改變對時間的觀念，是應付考試的最好方法

人類與生俱來就有惰性，每每想作一件事時，非等到火燒屁股時，才拚命去趕工。有時因為準備不夠充分，而把原本苦心的計劃，白白的糟蹋了。要改變人的情性，充分地實行計

劃，先決的條件是要改變對時間的觀念。

有的同學，早在考試的前二週，就已計劃好精密的讀書計劃，可是總認為「還有二個星期！」因為有如此的想法，所以到了考試時，還是沒有複習完。因此我們應該把這個觀念改變為「只剩下二個星期而已！」如此，才能督促自己積極地去實行計劃。

101 預防失誤的方法

當我們要參加某項運動比賽時，如果平常練習時，抱著不在乎的態度，等到正式的比賽來臨時，由於平時的不專心，正式比賽時失誤連連。容易造成在計算數學、化學、物理等科目失誤的原因，是平常不重視演算過程的結果。現在我提出五點注意事項，供大家參考。

①字跡要端正。潦草的字跡往往會讓人看錯，例如把0看成6，或者在演算的過程中，把個位數的位置看成十位數的位置。

②既使是簡單的計算，也要親手去做。如果平常沒這種訓練，考試時就不知道從何處著手解題。而且在白紙上作演算時，也是發現失誤的最好方式。

③把每一個公式，練習到運用自如，而且能舉一反三，運用到相關問題。

④要徹底弄清楚每個階段的概念，當在基礎的階段時，如果有任何不懂或容易犯錯的地方，應當確實的改正，才不會影響到自己的實力。

⑤作題目時一定要驗算。檢查清楚符號是否有失誤的地方。例如＋、－、×、÷等符號的運算。

利用不同的計算方法，算出同樣的答案，這才是眞正有實力的人。

102　補習班所强調的模擬考，是否有必要？

對於升學的人而言，模擬考是必要的。而有些同學，從聯考前一年就開始接受模擬考測驗，考得暈頭轉向。也有的同學，只剩下半年的時間，才開始急追、猛追地考模擬考。

模擬考試，就如同我們作定期的身體檢查一樣，爲了擁有健康的身體，從身體檢查的結果，再來決定今後要如何保養自己的身體。作模擬測驗也是同樣的道理，由考試的結果來決定讀書的方向。因此不論提早作測驗，或慌慌張張地作測驗，都沒有達到檢查的效果。也就是說，除非是定期測驗，否則模擬考的成效不彰。

因為一個健康的身體，是承受不了如此頻繁的檢查。如果處理不恰當，反而會把健康的身體弄壞了。作模擬考卷也是如此，頻繁地作測驗，不但會搞亂讀書的步驟，而且在自己沒有充分的實力就作測驗，反而是打擊自己信心的行為。而且在心理上，很難保持自己讀書的步調。

因此模擬考試和身體定期檢查一樣，要有適當的時間和次數。我覺得模擬考的測驗次數，大約和各學期的定期測驗的次數一樣就可以了。或者再加上像放完寒暑假後的考試。也就是說，一年內有五次的模擬考，就已非常足夠了。

103 考試的日期進入倒數時，多利用電子計算機

如果我們常常使用電子計算機，無形中計算能力會變弱。就如同我們經常坐車，不用腳走路，腳力也會愈來愈弱。

但是，在考期已進入倒數期時，請多利用電子計算機，因為這段時期，複習的重點不是

在計算的過程，而是解法。因此把繁瑣的計算交給電子計算機，不但快而且準確。把節省下來的時間，多作幾道題目。要是同學擔心計算能力會因此減弱，也可以每作五道題目，其中一題用筆算，而不用電子計算機，這樣不但可以保留計算能力，同時又可多作些題目。

104　考試前加强記憶例外的方法

「例外」之所以被稱爲例外，是因爲不同於常規，而且數目不多。如果碰到例外的要點。一定要把正規的規則寫在旁邊，以便對照，如此不僅可熟記例外，而且也比較容易把標準型背誦起來。

例如在英文裏，字尾是f、fe時，要把這些單字改爲複數時，必須去f、fe改v再加es。

leaf → leaves，knife → knives。

第五章　作讀書計劃的方法

——讓自己的努力和成敗成正比

預習的方法

105 只要多花一點兒時間，就能作一本高效率的筆記

印刷好的書籍，每一頁上一定有打上頁數。就是因爲有打上頁數，所以當讀者要找資料時，往往可以藉著頁數，很快地找到所需要的資料。有時並不感覺到頁數對我們的方便性，但是一旦書籍上沒打上頁數時，而讀者想在短時間內找到資料時，一定能體會出打頁數的重要性。

我們買到的筆記簿，一般都沒有打上頁數，同學們也很少主動地把頁數打上去。一旦需要找資料時，就必須費上一些時間，才能找到資料。不僅如此，有時候翻來翻去還不能找到時，只好放棄繼續找下去。如此一來，不但浪費時間，更沒有收到作筆記的實質效用。

因此，剛買回來一本筆記時，尙未開始使用前，先把頁數寫上去。當然，要一一地把頁

字寫上去，實在是非常麻煩的事。所以我們去買從0到9的數字印章，利用這些印章，把數字蓋到筆記本上去。如此就可以作成便利的筆記。除了買數字的印章外，還可以購買一些，像A、B、C……等，或a、b、c……等的印章，因爲可以利用這些英文字母的印章，運用在標記章、節的符號。如此一來，這將是一本既方便又美觀的筆記本。

當我們閱讀教科書時，如果需要參考筆記，可以在書裏標上n10的符號，其意思就是「請參考筆記本，第10頁」。如此一來，更能提高作筆記的用途。

106 如果要充分利用時間——選擇機動性大的筆記本

坊間上，可以買到一種利於携帶的筆記簿，這種筆記簿的最底部是一張墊板，而且紙張也比一般筆記本的紙張來的厚，所以不能捲成一個圓筒狀，但因爲最底部有一張墊板所以在沒有桌子的情況下，也能寫字。

因此，不論是在車上、坐著、站著，都可以利用這種筆記本來抄寫資料、計算數學題目，這是一種機動性大的筆記，所以可以充分利用時間。

107 利用短暫的時刻，完成預習的工作

上課前，要是沒把該科目事先預習的話，上課時，總覺得心裏不安，因爲怕老師隨時都會點到自己來回答問題，有時會因爲如此，而沒把課上好（即使老師沒點到自己回答問題）。我想大家都曾有過這種經驗吧！但是預習的工作・不一定非得要在前一日完成。

我們也可以利用當天的短暫時間。把它作好，例如通勤的時間、上課鐘打了，老師尚未到教室的時間等，如此利用短暫的時間，集中腦力，往往能收到意想不到的效果。

108 要把呆板無趣的課業，變成有趣的內容，要靠預習的技巧

很多人都認爲，所謂的「課業」就是考試要考的東西，而這些東西，必須經過漫長的歲月，從老師那兒才能得到。當我們有如此想法時，就已經喪失了求知的企圖心了。而對應喪失求知企圖心的人而言，即使給他再多讀書的時間，也是無濟於事的。

那麼，要怎樣才能把呆板無趣的課業，變成萬人嚮往的東西呢？簡單的一句話，把它視爲「向未知世界的挑戰」。或許如此說，是言過其詞，但是，我們所讀的內容都是以前偉人留下來的寶貴產物。如果以「探查」兩個字用來形容對舊有的文獻之考查，那實在是沒什麼意義，而且對同學而言也提不起興趣。因爲那些都是不能更改的「眞理」。而且課本所記載的，都爲大衆所皆知，一點新奇的感覺都沒有，在這種情況下，學生主動學習的慾望不高，只是等著老師的傳授。

要改變這種心態，提高同學的學習興趣，在預習課程時，除了查字典之外，應該把該內容的疑問點寫在筆記本上，即使自認爲是很簡

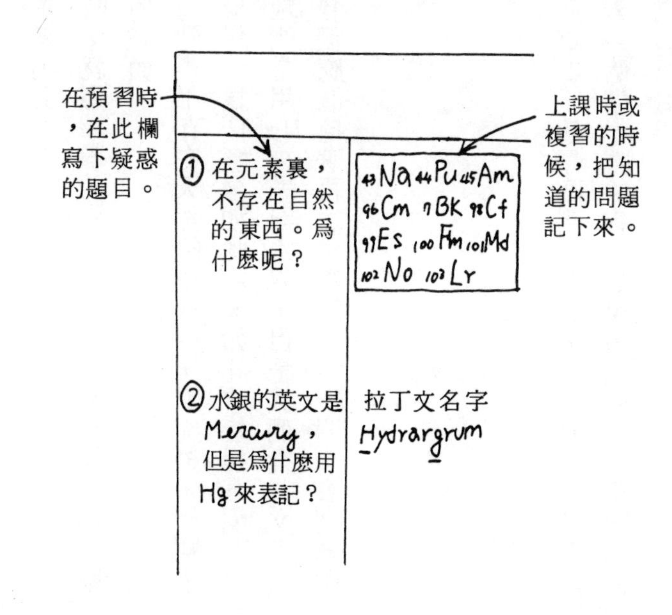

單，而且發問時可能被同學取笑的問題也要記在筆記上。

也有的同學常說「不知道那裏不懂」，這時，就應該學幼兒一樣，養成常常問「爲什麼」的習慣，因爲問「爲什麼」是開拓知識之林的斧頭。

例如，在化學的教科書裏寫著「在元素的範圍裏不存在天然的東西」，看完後，「啊！原來如此」，光是如此是不夠的，應該更進一步想「爲什麼會如此」，如此才能提高對該科目的好奇心，進而才有樂趣的產生。再例如，我們常用Hg來表記水銀，但是我們查英文字典時，水銀的英文名字却是Mercury。此時，我們應該抱著再去求證的心，「明天去問老師」，如此地求知，才是快樂的讀書方式。

109 利用星期天看書的方法

有不少同學，把課餘的時間，花在社團或通車上，放學回到家都已七、八點了。等到吃完飯，洗完澡都已近十點了，充其量也只能再看一個半小時的書。如果還讀到三更半夜的話，不但會弄壞身體，而且頭腦不清醒之下，讀書也沒效果。

參加社團同學的一週生活表

時	星期一	星期二	星期三	星期四	星期五	星期六	星期日
2							
3							
4							
5							
6	起床	起床	起床	起床	起床	起床	
7	吃飯	吃飯	吃飯	吃飯	吃飯	吃飯	起床
8	↓上學	↓上學	↓上學	↓上學	↓上學	↓上學	吃飯
9	上課	上課	上課	上課	上課	上課	讀書 1.5
10							吃飯
11							讀書 1.5
12							吃飯
1						社團	↕自由
2							
3	圖書館 1.5	社團	社團	社團	圖書館 1.5		讀書 1.5
4	↓放學 自由				↓		
5							讀書 1.5
6		↓放學 自由	↓放學 自由	↓放學 自由	吃飯	↓放學 自由	
7	吃飯						吃飯
8	讀書 3.5	入浴 吃飯	入浴 吃飯	入浴 吃飯	讀書 3.5	入浴 吃飯	↓自由
9		休息	休息	休息		休息	
10		讀書 1.5	讀書 1.5	讀書 1.5		讀書 1.5	
11	就寢	就寢	就寢	就寢	就寢	就寢	就寢
12							
1							

依照這計劃，平均每天讀3.1小時的書

爲了不增加身體的負擔，也不因參加社團而擔心沒時間看書，最好的方法是有效地利用星期六和星期日。利用這一段放假的時間，作好預習、複習的工作，不但能輕鬆地應付平時的課業，而且不用擔心跟不上進度。

但是，把放假的日子都用來看書，沒有半點兒的休閒的話，我想誰也受不了。所以參加社團的同學，應該是除了利用假日看書外，也應有適當的休息，或戶外運動。而一般的同學應該利用星期六的午後，活動一下筋骨，直到星期日的午後，再重拾放鬆的心情，開始準備功課。爲了能活用時間，應該把時間作合理的分配。

110 作英文筆記時，空開字行間隔書寫

作筆記時，有時會在事後想再加以註解或加以刪改，因此會把原本整齊的筆記搞得很亂，甚至會影響到閱讀。

當我們用稿紙寫字時，因爲每行的兩旁都留有空白的地方，所以便於我們增修句子。但是筆記簿却不是如此，因此，當我們書寫英文原文時，最好如左圖一樣，寫一行後空一行，

如此我們才能利用空白的地方寫註釋。

111 為了能了解當天的課程——三週前的預習方法

有些同學，雖然參加很多的課外活動，但一點也不影響到成績，而且都還是班上的前一、二名。令人不免要猜想，他是什麼時候看書的呢？即使是聰明的人不看書，成績也不會好的。

因此，我們只看到他遊玩的一面，並沒看到讀書的一面，也可說這些學生通常已把課業的預習、複習的工作安排得無微不至。他們比一般的同學多花了二、三倍的工夫，也就是說

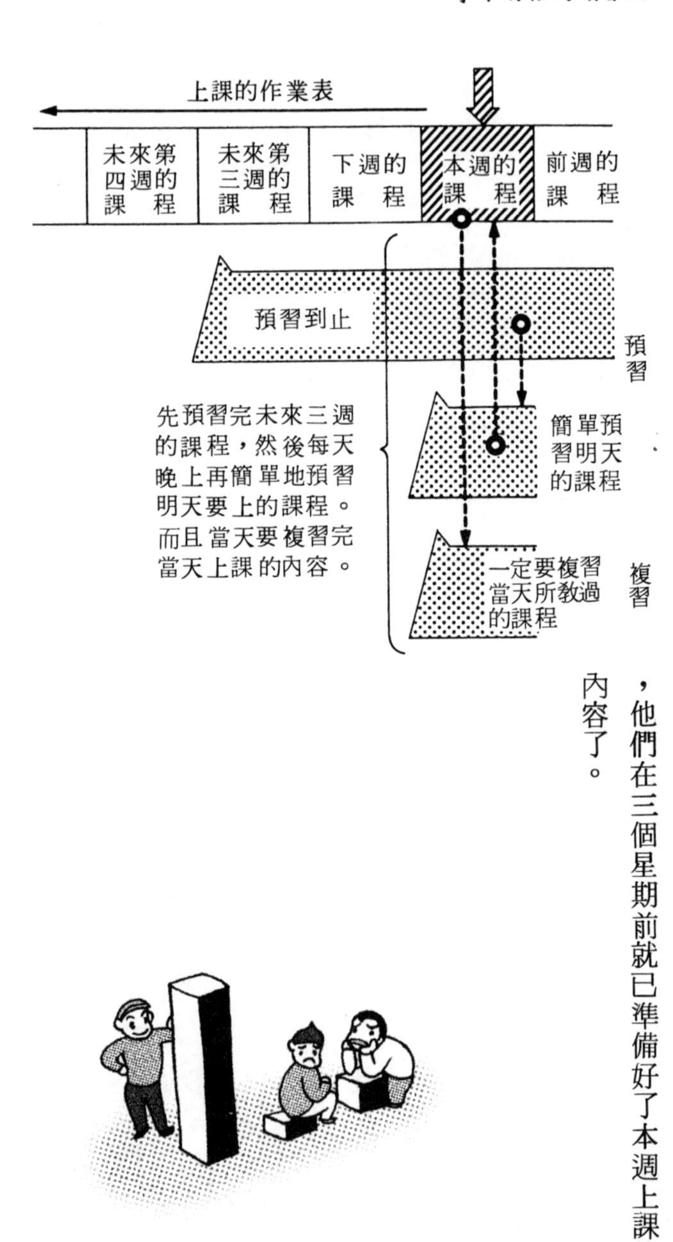

，他們在三個星期前就已準備好了本週上課的內容了。

作讀書計劃的方法

112 百分之八十的預習，百分之二十的複習

經常因不能理解老師上課內容而導致不能提高讀書效率的人，應該徹底地改變讀書的方法。我們通常比較重視複習的工作，却較輕視預習的工作，甚至有人會認爲，可以沒有預習，却不能沒有複習的工作。這是絕對錯誤的想法，如果我們花了很多的時間去作預習的工作，那麼只要花極少的時間，就能作完複習的工

作。

預習時就已經理解了內容的百分之八十了。剩下的百分之二十經過老師的解說後，當然只要極少的時間，就能複習完所有的內容了。如果把預習和複習的比率交換，或許也可以得到同樣的效果。但是不知要花幾倍的時間呢！

113 依科別來定預習和複習的時間表

有少數的同學，雖然很重視預習的工作，但是向來不作複習的工作，我認爲，雖然花了很多時間來作預習的工作，如果不再複習一遍的話，我覺得不但得不到好的成效，連預習所

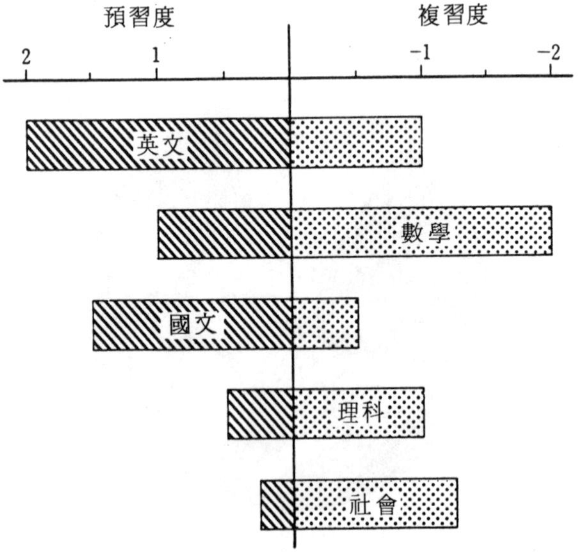

預習度　複習度

科目	預習度	複習度
英文	2	1
數學	1	2
國文	1.5	0.5
理科	0.5	1
社會	0.25	1.25

依教科別來定預習和複習的時間表

花的時間都白費了。因此一定要平衡預習和複習的時間。

所謂平衡預習和複習的時間，也就是，當花了很多時間在預習工作上，那麼只要簡單的複習即可，如果只作稍微的預習，就要花很多的時間在複習的工作上。而且每科目所訂的標準都不一樣，請參考下面的圖表。

114 依科別、程度的不同，作讀書計劃表

作預習或複習的工作，並不是很難的事，如果作到下列幾點就可以了。

△預習的過程：

①讀教科書。

②把教科書、參考書裏不懂的地方查出來。

③抓住重點，整理在筆記上。

④解決問題。

⑤把不懂的地方作記號。

△複習的過程

①讀教科書。

②整理要點。

③把重要的事項背起來。

④把不太清楚的地方再確定一次。

⑤作習題。

當然，每科目都要依此順序的話，也是要花很多的時間。因此，我們可以把所有的科目，分為拿手的和不拿手的科目，依照此標準來定適當的預習和複習的系統。例如讀英文、數學、國文時，預習的過程是①＋②＋⑤。複習的過程則是①＋②＋④。而讀理科、社會科時，預習的過程是①＋⑤。複習則是②＋④。

照如此的計劃讀書，一定可以提高自己的實力。

115 作「自我管理」的進度表

要確實地實行計劃，一定要管理好進行的狀況。因爲再好、再周詳的計劃，也要靠一定的進度，才能發揮作用。所以如何「自我管理」是非常重要的。因此要作一個進度計劃表，按照這個進度表來實行計劃。

如果自己的學習目標已經決定了，就把內容寫下來。接著畫一個進度表，依自己的能力、實力而定，如下圖一樣，四週內分爲80小格，每完成一個階段就把格子塗滿，如此便可製作出一目了然的進度表了。

116 檢查時間分配是否恰當的方法

高中的科目至少在六科以上，大學聯考時

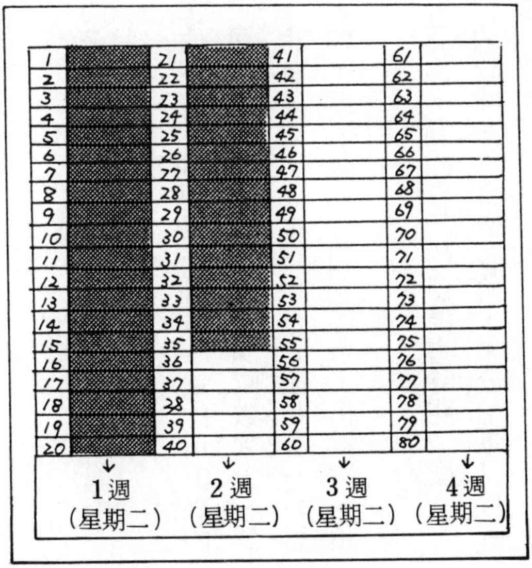

1週（星期二）		2週（星期二）		3週（星期二）		4週（星期二）	
1		21		41		61	
2		22		42		62	
3		23		43		63	
4		24		44		64	
5		25		45		65	
6		26		46		66	
7		27		47		67	
8		28		48		68	
9		29		49		69	
10		30		50		70	
11		31		51		71	
12		32		52		72	
13		33		53		73	
14		34		54		74	
15		35		55		75	
16		36		56		76	
17		37		57		77	
18		38		58		78	
19		39		59		79	
20		40		60		80	

至少也要考六個科目，因此平常只專心讀一科是不行的。或者只讀重要的科目或自己比較弱的科目的話，到了考試時，本以爲拿手的科目，因沒有特別準備，反而是考得最不好的一科。

爲了避免此情況發生，因此要作一個讀書時間的分配計劃表。這個計劃表，要以學校一週內的課業表爲一個單位。平均分配每一科的時間。

首先，把需要預習和複習的科目寫下來，標上①的記號，再把每一科目一週內所上課的時間數寫下標上②。依科目決定預習、複習的時間，而此二者的時間是以上課時數乘上一個係數所得，而係數分別是一・〇、〇・七、〇・三，也就是說，如果該科目必須花多一點兒時間在複習上，於是就乘較大的係數，例如一・〇或〇・七。複習時間花得多，相對的，預習時間就花得少，那麼所乘的係數也就是小的。

再把預習、複習的時間加起來，標記爲③。另外算出一週內自己的總讀書時間，標上④。再把一週總讀書時間減去一週內所花的預習和複習的時間。依這個差值，來分配每科目所需要的時間，此記爲⑤。如果第⑤項的値等於一週的總讀書時間，那麼您的分配便是標準的。

❶	❷	❸			❺
		預	複	計	
英Ⅱ讀解	3	3	2.1	5.1	6
英Ⅱ文法	2	0.6	1.4	2.0	3
白話文	2	0.6	0	0.6	1
文言文	3	2.1	0.6	2.7	3
代數、幾何	3	0.9	3	3.9	4
基礎解析	3	0.9	3	3.9	4
世界史	3	0	2.1	2.1	2
現代社會	2	0	0.6	0.6	1
化學	5	0	3.5	3.5	4
				24.4 時間	總合計❻

❶　一週內總讀書時間 4小時×7　＝	28	28
❶－❸　＝	3.6	時間

依著這個表大體上可以平均的分配每科目的預習、複習時間。

117 在筆記簿的第一頁，劃上讀書流程的插圖

總覺得讀書的時間不夠，或者不能提高讀書的效率。當我們去求證其原因，大多是沒有讀書的「順序」。坐在書桌前發呆，不知要怎麼唸書，或者有時心血來潮想唸書，可是稍有不順心，就把唸書的慾望全部給澆滅了。因此才有效果不彰的結果發生。

依科目不同，有不同的讀書順序，當然也依各人而異。但一般大多是由預習→上課→回家複習的過程。但是預習和複習還可細分好幾個階段。因此可以在筆記的第一頁上，畫下詳細的流程表。

例如，預習數學時，看到「讀教科書的說明」，就按照此說明詳細閱讀，接著如果寫著「疑問的地方打勾」的話，我們也一定會照作的，看到「整理公式、定義、定理」的話，接著也會想到要整理一些公式。如果按照這個流程，機械式的作業，不但可以省下一些不必要的時間，而且可以提高學習的效率。

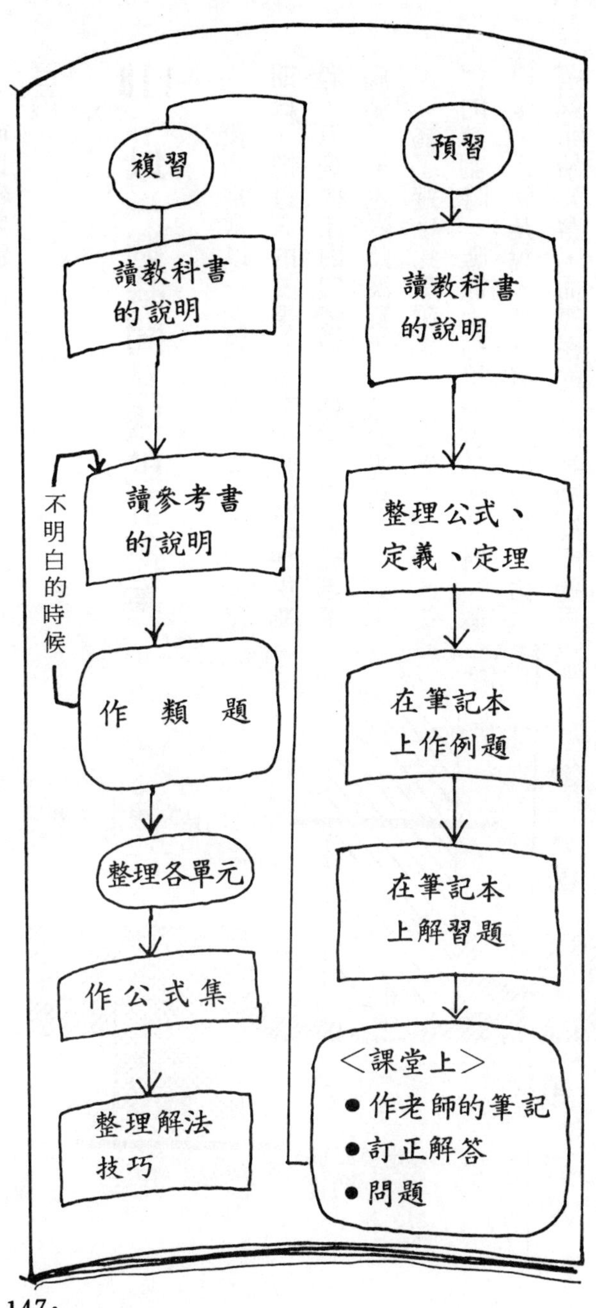
複習
讀教科書的說明
讀參考書的說明
不明白的時候
作類題
整理各單元
作公式集
整理解法技巧
預習
讀教科書的說明
整理公式、定義、定理
在筆記本上作例題
在筆記本上解習題
<課堂上>
●作老師的筆記
●訂正解答
●問題

可以參考別人的讀書流程，再作適合自己的。

118 以一週時間爲限的計劃案

我們常常以一週爲單位，從星期一到星期日，把每天的讀書計劃表，都詳細地規劃過。但是往往因突發的事件，把整個計劃都搞亂了，也因此浪費了一週的光陰。

爲了避免此事發生，當我們作預習、複習的計劃時，應該大約以一週的時間爲一個段落，也就是說，某月第三週的課程，第二週就開始預習，而複習的工作等到第四週再複習也可以。如果第四週尚不能作到也不會

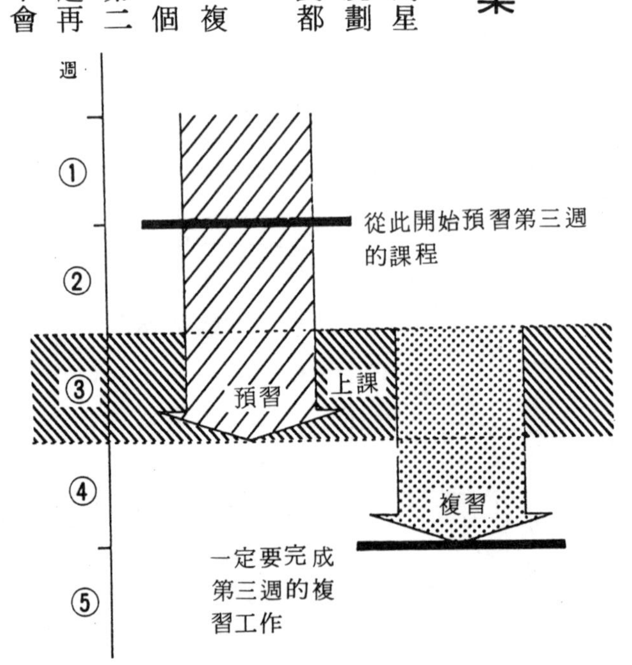

把整個讀書計劃破壞掉。

119 與其用時間來決定計劃不如用自己的能力來決定

我們經常費了一翻工夫後，才完成讀書的長期計劃，可是往往不到三天的時間，就偏離「軌道」，放棄了原計劃。爲什麼會如此呢？計劃是用來實行的，所以必須先考慮它的可行性，而且不能因爲時間的逼迫，而作了一個超乎自己能力的計劃案。因此，要作計劃時，不要考慮到時間的因素。

也就是說，不要受到時間的約束，而以自己的能力範圍內之「量」爲前題。「今天完成這些即可」，如此每天地都能照計劃進行，不但提高每天的讀書興趣，而且每天的成就感更可提高自己的信心。

120 利用破碎的時間，征服最弱的科目

我們都喜歡作自己想作、喜歡作的事情，不但作起事來很起勁，而且覺得時間過得特別快。也因爲如此美好的感覺，越發使人願意去作。相反地，一件自己不喜歡的事，作起來不但沒勁，反而覺得時間怎麼如此慢。因此不能精通此事，而成爲自己的弱點之一。結果反而變成，因爲討厭所以不稱手，就因爲不稱手所以更討厭了，如此惡性循環。爲了要切斷這個惡性循環，對於不喜歡的事情，不要勉強自己持續作下去，也就是說，用短暫的時間，或利用一些破碎的時間來作它，每次一點，一點地去接觸它，慢慢地就會熟悉它，自然而然就不會排斥它了。

讀書時，也同樣地會發生如此的情形，要征服討厭而最弱的科目時，以短時間爲餌，讓自己沒有壓力下去接觸它，如此一點一點的時間，也會積成長時間的，而自己的實力也就在無形中增長了。

121 利用模擬考來提高實力的方法

模擬試題是如何被命題的，一般的學生都不知道，但現在一般的學生都利用它來判定自己的實力有多少。甚至有的同學在考前乾脆就不看書，看看自己有多少實力。認為學校的考試只是年間計劃的行事而已，和自己的讀書計劃是完全沒有關係的。

如此想的同學，一定沒有好好地利用這實力測驗，如此是很可惜的。因為實力測驗不同於一般有範圍的考試，而是綜合測驗。考生平常讀書時，容易注意極小的題目，本來就缺乏綜合的能力。當然，讀書時除了注意大標題外也要注意小地方，如此才可累積實力，但是對於知識全體的綜合力還是很欠缺的。

因此，在這種情況之下，實力測驗的意義就非常大了。如果好好利用這個考試，抓住這個機會，可以找出平日疏忽的地方，再加以加

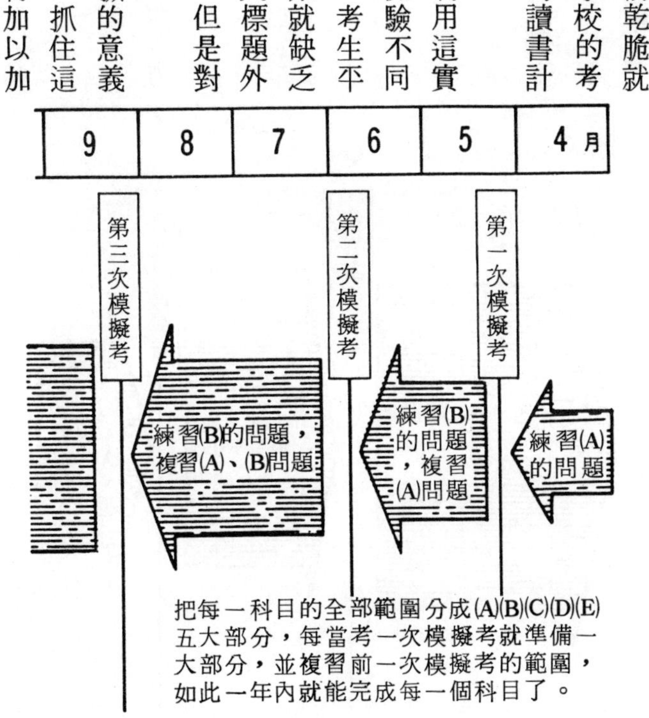

把每一科目的全部範圍分成(A)(B)(C)(D)(E)五大部分，每當考一次模擬考就準備一大部分，並複習前一次模擬考的範圍，如此一年內就能完成每一個科目了。

強。因此，我們可以在考前一個月開始作一些基本或應用高度的習題，這不但可以讓自己知道，每一期間的學習狀況，而且經過考試後，可以自己不斷修正自己的讀書方式或讀書的方向，更容易達成自己的理想目標。

122 培養「條件反射」的讀書方法

有些人讀起書來不急不徐，慢慢地一步一步往前進行，這種情形，從拚命讀書的人眼裏看來，或許認爲他們大概沒有作周詳的計劃表吧！雖然這些人不特地去作計劃表，但是由長期以來自己的學習過程中，在腦子裏已經有了

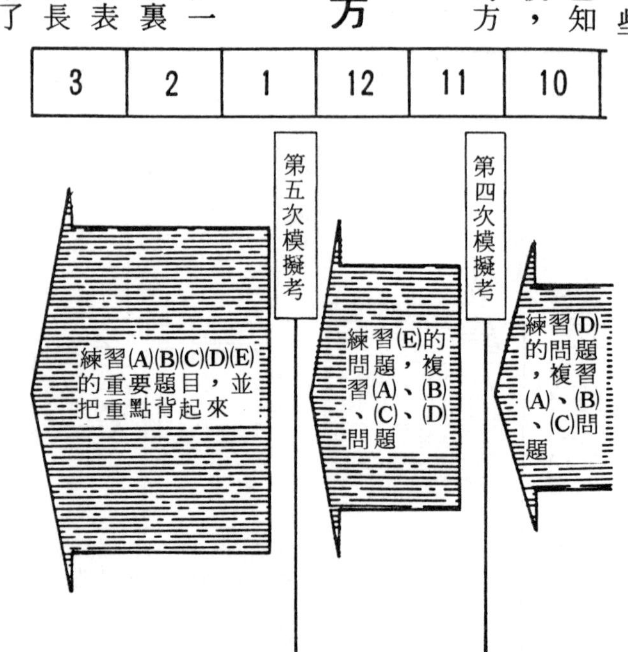

一個獨自的學習計劃案了。

如果請他說出讀書的方法，「複習→預習→念比較喜歡的科目」如果眞是如此回答的話，我們可以想像到，他每天回家就先複習功課，聽到八點鐘聲響就預習功課，當九點鐘響時就念自己喜歡的功課，如此地有規律，好像和自己的生活結合了一樣，用不著別人的催促，到了一定的時間就去作應該作的事。

我想每一個人如果想作的話，應該都可以學會的，那怕剛開始時只是翻翻書而已，慢慢地就能習慣了，時間一到，自然而然就會在書桌前坐下來了。

這就好像蘇聯的生理學家巴卜洛夫所提倡的「條件反應」一樣。巴卜洛夫給狗食物時都會出現刺激物，如此多次反覆動作後，雖然出現刺激物但沒出現食物，這時狗的嘴巴却分泌出唾液來了。

相同地，如果我們也習慣了，在固定的時間，作固定的事，那麼時間一到，自然地就會往書桌前坐了。

123 先從不喜歡的科目著手，才能克服心理障礙

當我們要讀自己不喜歡的科目，或自己最弱的科目時，總會以「明天再讀吧！」爲藉口，把手邊的書放下了。如果每天都如此的話，到何年何月才會把它拿來讀呢？

因此，不管如何地拖延，總是要面對它的。所以不但不要有拖到明天的想法，應該更積極地想「把有困難的科目先讀」。如此才能克服心裏的障礙，而計劃的進行才能如期完成。只要有勇氣的話，我相信一定能克服困難。

124 當學習進度落後時，先要自我檢查

當發現讀書的進度落後時，一般人都會把原來的計劃，作第二次的修正，而使這計劃更能提高讀書的效率。

不能發揮計劃的最大效能之原因，大多是自己的步調不能和計劃表配合。

因此爲了去除這個困擾，在寫計劃案時，應該先衡量自己的學習能力，「一小時能作多少題目」「要花多少時間來讀一課的內容」，如此地先確定自己的能力，再寫計劃進度表。

125 突破讀書情緒低潮的方法

有時候讀書時，會有讀不下去的情況發生，如果勉強自己硬撐下去，不但沒效果，也很痛苦。這時候，我們應該把手邊的課程放下來，把以前讀過的內容再拿來複習。以前讀過的內容，現在再讀一次，一定會覺得輕鬆愉快，而且也會覺得有成就感，也就是利用複習的工作，再找回方才失去的信心。

或許也會有人認爲如此的作法，會使進度落後，而感到不安。

但是，當我們不能吸收新的東西時，大多是把某部分基礎的觀念沒有搞清楚而產生的。既使再漂亮的建築物，也要有堅固的地基，不然當天災地變時，馬上就東倒西歪了。當你讀不下新的東西時，就是給自己一個警告，一定有某些地方發生問題。

如此從這一點來思考的話，我們應該覺得高興才對，因爲遇到困難時，才會再去複習以前的內容，把自己的弱點加以補強，這才是培養實力的好方法。

有時候，看到同學看書的速度很快，自己因此而亂了陣腳，這是很不智的，自己應該照著自己的計劃，一步一步地往前，這才能確實地把實力打好。

第六章

依科目而訂讀書的方法

——把最弱的一科變成最拿手的一科

英文的讀書方法

126 重新讀國中的英文——是找回實力和信心的捷徑

英文的實力是靠長久以來，實力的累積的。我們常認爲，以前的基礎不好，不管現在如何的努力，也都是白費的。反之，如果以前就打下良好的基礎，現在只要用功讀，成績一定會很好。

話雖說如此，但對於英文程度不好的同學，應該建議他把國中的英文課本重頭讀一次。將基本的單字、發音等重新學習。國中一、二年級的課不難，即使想徹底地讀完也不用花很多的時間。

這個方式才是學好基礎英文的方式，同時也是找回實力和信心的捷徑。

127 用錄音的方式提高讀英文的能力

能把英文課本內的文章，流利地讀完，實在不是一件容易的事。但也只有作到如此，我們才會消除對英文的敵對感，也才能體會出讀英文的樂趣和成就感。

如果要用作筆記的方式，根本沒辦法把老師的聲音記載下來，因此我們可以利用錄音機。利用它把老師正確發音錄下來。在錄音帶上要標好帶子的內容。回家後反覆地聽且跟著老師的讀法朗誦出來，用耳朵多聽，不但容易記，而且不容易忘記。

128 提高英文應用能力的方法

上英文課時雖然聽得懂老師講解的內容，但是碰到英文模擬考時，有很多人在此時腦子會變得完全不知如何應付才好。這是因爲同學在平時不注意自己的英文應用能力所造成的後果。

要養成英文的應用能力，不須要特別地去閱讀那些書，而是要在平日讀英文時，就要下工夫，就以一個單字爲例，當查出單字的發音、意思時，還要知道它的各種用法，把所查到的資料寫在筆記本裏。還有，可以cf的記號，把成語、例文的比較等寫在這參考欄裏。如此一來，我們英文的應用範圍就會越來越廣，應用能力當然也隨之提高了。文法這方面的問題，應該多去查閱參考書，再把整理出來的要點寫在筆記本上。

129 適合預習、複習的英文筆記

作英文的筆記要配合自己的程度，如此才

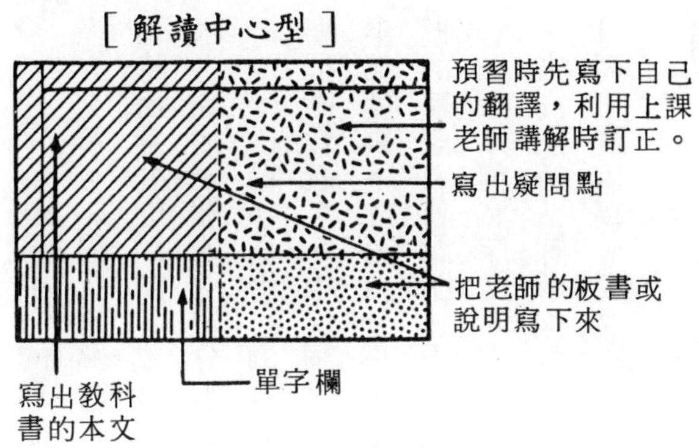
[解讀中心型]
預習時先寫下自己的翻譯，利用上課老師講解時訂正。
寫出疑問點
把老師的板書或說明寫下來
單字欄
寫出教科書的本文

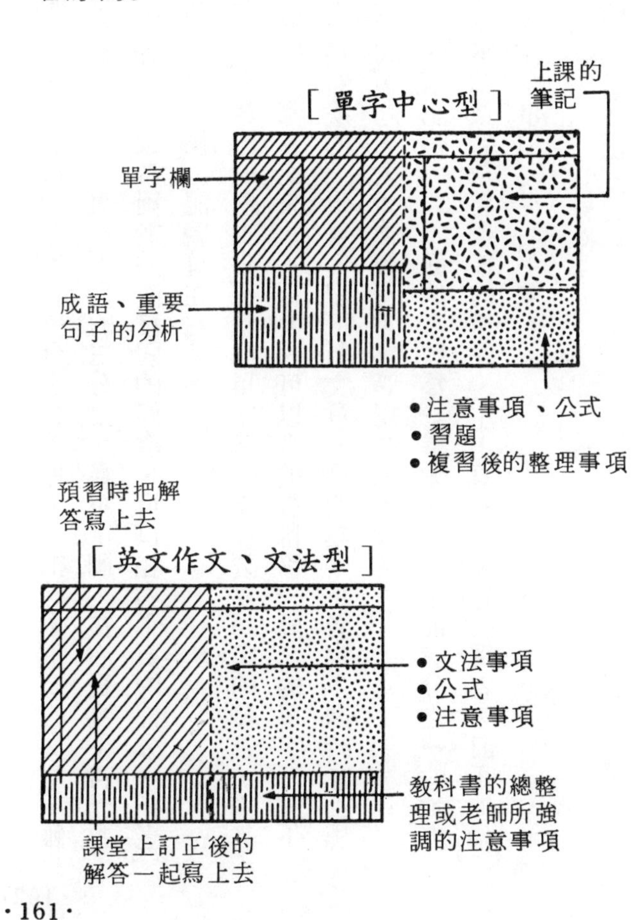
[單字中心型]
上課的筆記
單字欄
成語、重要句子的分析
●注意事項、公式
●習題
●複習後的整理事項
預習時把解答寫上去
[英文作文、文法型]
●文法事項
●公式
●注意事項
教科書的總整理或老師所強調的注意事項
課堂上訂正後的解答一起寫上去

能眞正的提高自己的英文實力。

〔以解讀爲中心的筆記〕 在筆記簿的左上頁三分之二的地方，把課本重要的文章、難懂的文章，以隔行書寫的方式抄寫在筆記裏。下面的三分之一爲單字欄。在右頁寫下自己預習時所遇到的問題，或自己的翻譯。或者對於基礎較弱的同學，可以在右下頁的部分，把老師上課所講解的內容分別整理出來。標上記號寫在右下欄裏。

〔以單字爲中心的筆記〕 在筆記的左上半部當作單字欄，不僅要寫單字的發音，而且要把同音義字、相反詞等相關的字都查出來。一頁大約可以容納教科書一段落的單字。左下半部就寫下成語或分析句子。在右邊的上半頁，記下對文章的疑問點。或者寫上課時老師黑板的筆記，或說明。把整理過的習題、公式或複習重點等寫在右下欄裏。

〔以英文作文、文法爲主的筆記〕 以二面的頁數爲一單元。留出下面三分之一的地方，來寫老師上課所強調的注意事項或者是整理後的重點，左上頁寫下習題的解答。訂正的地方要用紅筆寫。而文法事項或注意事項寫在右上欄。

130 學習英文文法的三步曲

要了解英文，非先知道英文文法不可，但並不是只知道文法就可說是有英文實力。這就如同只知道交通規則而不知如何實地運用。因此知道了基本原則後還須靠實地的演練，兩方面都能配合的好，才可說具備了實力。如果要把英文學好，把下面三步曲作好的話，大概可以說具備實力了吧！

首先把所有學過的英文分類整理出來。例如「定冠詞的用法」「不定冠詞的用法」或者「假定型的種類」等項目，把這項目的文法規則、特例等整理出來，這時最好使用活頁紙來作筆記比較好，如果事後還要再追加或想改變順序時比較便利。經過整理的手續後，對這些被搜尋出來的資料，不但感到熟悉而且很容易就能背誦起來。

第二步驟，練習作教科書裏的習題，一方面訓練自己的解題能力，一方面是熟練規則。再用紅筆把自己作的解答和正確答案訂正，錯的地方再加以探討錯的原因。

第三步不是要同學讀文法，而是要同學實地練習英文作文或讀文章，利用實地的練習幫助同學去學習如何運用文法規則，或者利用這機會看是否有需要補充什麼資料。

131 想要增强英文能力，就要一日一文

寫英文作文時，與其用自己頭腦想，不如模仿英文範本的例文。就如同小孩說母語一樣，一開始都是由模仿而來的，當字、詞記多了就可以開口成章了。因爲範文的句子表現法一般都比較簡潔而且字彙的變化也很豐富，如果模仿這些例文當然比自己寫的還好。換句話說，英文的作文實力，只不過是背誦範例的多少而已。

要增加蓄藏的方式，最好是慢慢的累積，每天一篇文章是最好不過了。不管是教科書的例文或文章都可以當成範文來背。如此應該不會造成同學的壓力，因爲同學可以利用回家後的短暫時間來背誦，這是不管誰都可以來實行的。

「一日一文」我們不能期望作文能力能突飛猛進，如果以二年爲一時段，那麼大概能蓄藏七百多篇文章了，以這些「能量」大概足以應付所有的英文作文題目吧！

相反地，我們是一口氣在短時間內背誦很多的英文範例，到頭來一定會失敗的。大家一定知道「聚沙成塔」的道理吧！每天不斷的累積才是成功的一大秘訣。

132 背誦單字時，先從課文內的單字開始

當我們在閱讀報章雜誌時，常會遇到不認識的國字，但是它並不會妨礙到我們閱讀，因爲我們還是能抓住文章的主要文意，因爲我們的頭腦裏裝有足夠的「必要度高的單字」。

在英文裏，所謂「必要度高的單字」就是文章裏出現的單字，課本裏的文章，都是經過專家所編輯的，不論是單字、句子的結構都經過專家們精選後才編納爲教材的，因此，如果把這些單字都熟讀牢記，那考試時就應該沒有問題了。

133　背單字的要訣

正因爲要背的單字太多了，所以我們常一口氣背了好多的單字，但是日子一久，以前曾記住的單字，最後也都忘了一乾二淨了。相信很多人都有過這種經驗吧！而且也爲此而煩惱吧！這些人除了一口氣背太多以外，另外就是只擔心背不起單字，沒把眞正的心思放在單字上，因此才會覺得背不熟。

背過的單字，如不常使用一定會忘記的。如果能把忘了的單字再度背誦一次，如此不斷地反覆，最後要同學忘掉這個字，恐怕也很難了。

134 加强背誦英文單字的方法

有人按照字母的排列順序來背單字，我覺得這種方式並不能獲得良好的效果。因此製作單字筆記時，最好是用活動式的，也就是說可以隨時取下頁數來的筆記。利用這種方式，可以把單字歸類為「有關學校的單字」「有關動物的單字」「有關動作的單字」「多義字」「接頭語」「接尾語」等，這些從課文中搜尋出來的單字，利用分類的方式，可以讓我們在輕鬆愉快下熟背起來。

而且把相關連的單字一起背誦，不但容易背，而且可以舉一反三，連鎖反應地學習到新

隨時可以取下
頁數的筆記本

的單字。字彙的能力也會慢慢增強。

135 製作單字卡的方法

通常我們都攜帶著單字卡片在身上，以便隨時都可以拿出來背誦，但是這也需要有正確的方法。如果把所有的單字都寫在卡片上，那是最笨的方法，因爲把所有的單字整理後再抄寫到卡片上，需要花很多的時間，有的同學雖然有時間去整理單字，卻沒有時間去背誦，那豈不是一點效果都沒有嗎？而且一看到要背的東西這麼多，心都涼了一半，那有心情再去背誦。

製作成功卡片的要訣，就是要精選單字，把難記的、複雜的單字抄寫上去即可。

136 對於容易忘記的單字，要作筆記

在製作單字筆記時，如果把新的單字，和舊的單字都寫在一起，然後再一一地查字典，

那是非常沒效率的。所謂的單字，應該是自己未曾學過的才叫單字，所以要查字典時也只限於查新出現的單字而言。

對於曾經學過而一時忘記的單字，不應該再次地被寫在筆記裏，而應該去翻閱筆記，把單字的意思查出來，同時在那個字的下面用紅筆作上記號，如果這是一個自己容易忘的字那麼經過多次的劃線後，也應該牢記了，這樣作出來的單字集，應該有助於同學應付考試。

137 重要的單字，在課堂上就抄在卡片上

在考前充分利用有限的時間，這是很重要的。經過三年後就要在考場決一勝負了，所以同學要利用每一分秒而不浪費任何時間，「把握現在」才是節約時間，激厲自己往前衝的動力。

所以，你不要特別花時間去作單字筆記。在上課時如果遇到單字，就馬上寫在卡片上，回家的途中就可以拿出來背誦了。

如果能把握住這兩個要點，我相信你絕對不會輸給別人的。

138 學習適當的查字典方法，可以提高英文實力

讀英文難免要查單字，但是不同的查字典之方式也會影響到英文的能力，一般人查字典時都是照著字典所寫的再抄寫一遍而已，而且也只背誦那些所得到的資料而已。而自己不曾作任何的思考工作。

現在我再介紹另一種查字典的方式給同學參考。當遇到單字要查字典時，應該自己先想一想字的品名、意思、讀法、發音等，先經過思考後再去找字典、查閱字典所書寫的和自己

所思考的是否一樣，如果大約相同的話，自己不但有成就感而且更加深自己讀英文的興趣，如果不幸地和字典所寫的不一致，那麼先探其究竟後再背誦也不遲。

查一個單字就好像要完成一件工作一樣，從思考的過程到查字典、背誦，這是很重要的三步曲。爲什麼我要強調這些工作步驟，因爲我們爲了要思考出單字的意思、品名等，就要反覆的看文章、分析句子，所以無形中就訓練了閱讀的能力了。

在實際的考試時，是不能查閱字典的，一定要靠平時養成的閱讀能力，當遇到單字時，也能順利地答完題。

所以，一見到單字就機械作業般的開始思考、查字典等，不但是背誦單字而且可以養成閱讀能力，可以說是「一石二鳥」，對於英文不好的人而言，這也不失爲一個補救英文的方法。

數學的讀書方法

139 利用作數學卡片來提高對數學的興趣

不用說，想要提昇數學的實力，一定要清楚每一個公式的推理方法，還要了解問題的意思。因此可以利用卡片來製作數學公式卡片筆記。在卡片的兩面分別寫上數學的公式和公式的推理方法。然後自己另外在紙上作練習，如果能很熟識的寫出這些公式和導論的話，一定能增強數學的實力。

（外面）

點（x_1、y_1）通過 y 軸，斜率 m，求直線之方程式	垂直 x 軸的直線方程式 ↓
$y-y_1=m(x-x_1)$	

（裏面）

直線　$y=a\times+b$ 通過點（x_1、y_1） $y_1=mx_1+b$ $b=y_1-mx_1$ $\therefore y=mx+y_1-mx_1$ 因此 $y-y_1=m(x-x_1)$	垂直 x 軸的直線方程式 $x=a$

如果靠自己的能力而能推論出公式來，不但有成就感而且對數學也會產生濃厚的興趣。

140 詳細地寫出解答的步驟是提高能力的方式之一

有時當我們解出一題數學題目時會大叫「太棒了」。可是我們並不能確定下回是否還能解出答案來，或者遇到類似的題目是否會變得束手無策了。因此這不算是有實力的人。

因此，當我們解答出一題時應該簡單扼要的整理出「使用的定理、公式、解答的技巧、順序」等資料，寫在筆記本上。

如果平常就如此作，遇到類似的問題就可

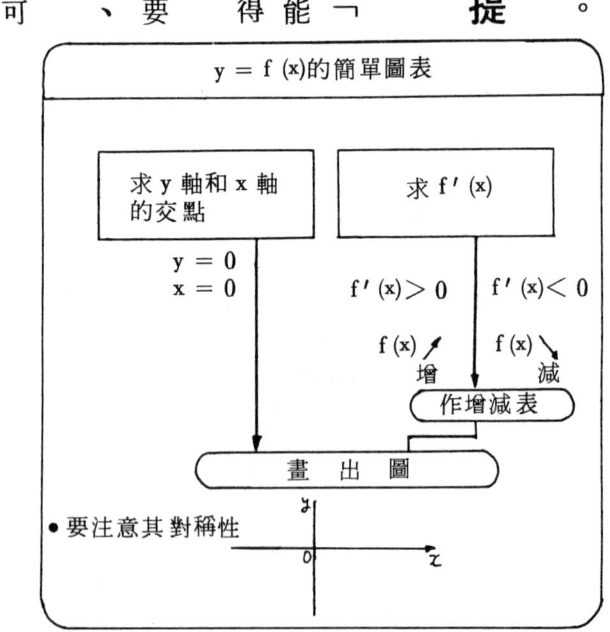

以很快的作出答案。

141 模仿範例的解答方式——養成良好作答習慣

如果認爲只要求出答案就可以得到分數了，這是一個錯誤的想法。如果解答的過程中漏掉重要的步驟或理論，一定會被扣分的。而且也不能只簡單的把式子羅列出來。而式子和式子中的接續辭也不能忽略，例如「因爲」「所以」「依據」等必須使用的恰當，才能使整個式子合理。

我們可以在參考書或教科書裏整理出一些慣用語，或者模仿參考書裏的解答方式，如此才能使自己養成良好的作答方式。同時也要養成讀題目的習慣。

142 活用公式的方法

數學公式有很多，在考前想把這麼多的公式一口氣背起來，實在是不可能的事。縱使能裝入頭腦裏，到時候也不知道要如何使用。

因此，我們學完每一單元後，就應該把公式整理好，而且寫清楚公式適用於那些場合。同時亦可舉些例子作具體的解說。如果可能的話，把公式的演算過程或註明那些條件成立時使用公式等注意事項，都能整理成册。

143 使用製圖紙的妙用

在數學這科裏有很多的圖表，有時必須自己作出圖形才能解答，有時必須看圖作答。所以有很多人會直接把圖畫在筆記簿裏。

有一位同學隨便地把圖表畫在筆記簿上，因爲畫得太草率所以等下回要看時，連他自己也看不懂，這就是自己畫圖時有所缺失。

有時向同學借筆記來抄時，看到同學的圖表是利用作圖表的專門用紙來畫圖表，然後再剪下所畫的表格貼在筆記上，如此作要比直接畫在橫格的筆記簿上要好的多。如此不但節省時間而且作答時也能很明白地看出圖意而解出答案。

從此以後這位同學都使用畫圖紙來作圖。只是大張的畫圖紙用起來比較不方便。因此他把畫圖紙割成一定大小的規格，夾在筆記本裏，當需要使用時，隨時都可以取出來，然後貼在筆記本上。

144 把數學的公式、定理卡片化

很多人會細心地製作英文卡片，却很少人會如此細心地製作數學卡片。數學裏的公式、定理也如同英文單字一樣，可以利用作卡片的方式，不僅可以提高讀書的效果，也可以幫助記憶。

在複習時，如果臨時忘了某定理、公式，

我們就可以馬上從卡片中找出來。因此在複習時可以把這些公式卡片放在桌旁以備用。如此反覆地看卡片後，卡片上的公式都可以背起來了。眞是一舉兩得。

145 作定義、定理一覽表

「定義、定理」可以說是數學的基礎。因此如果對定義、定理不是很清楚的話，遇到基本的題目或許還可以應付，如遇到變化題的話，那可就束手無策了，爲了避免如此，在筆記本的後面能寫下定義的一覽表。如果忘了定義時，可以馬上查到資料，而且學習的效果也極佳。

在這一覽表裏，不管是具體或抽象的概念都可以例題說明之，或者有相關性質的定理或例題、應用題等一併蒐集在一起。

經過多次的翻閱後，相信自然而然地就能把定理等牢記了。

146 把公式分爲母公式和子公式

當我們已經背誦許多公式後，就應當把所有的公式作系統性的整理。作整理是要有方法的。整理公式時，分成母公式和子公式，然後把有家族性質的公式綁成一串。

如此整理出來的公式組，不但一目瞭然，如果忘了其中一個公式時，還可以由同系列的公式導論出來。如此自己也可以提高數學的實力。

147　不同的用途，作不同的筆記

如果把所有的東西都寫在一本筆記本裏的話，等到要作複習的工作時就不能在短時間內作好複習的工作。現在我舉些方法來提供給大

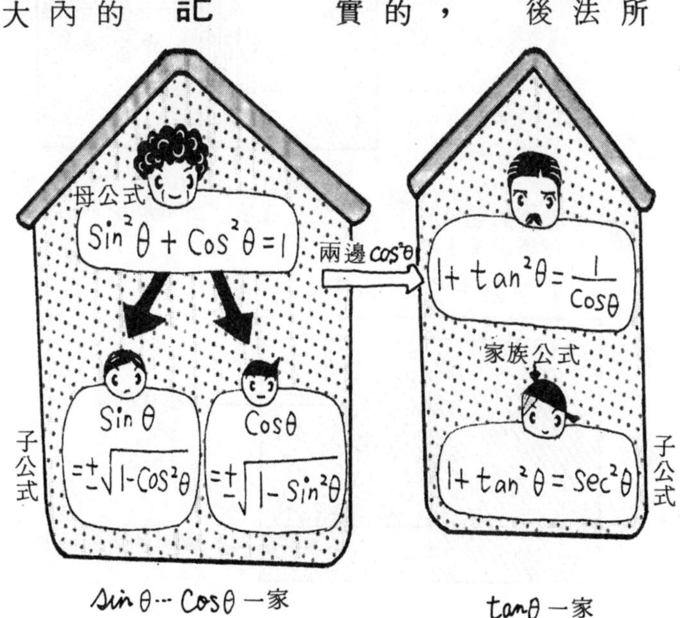

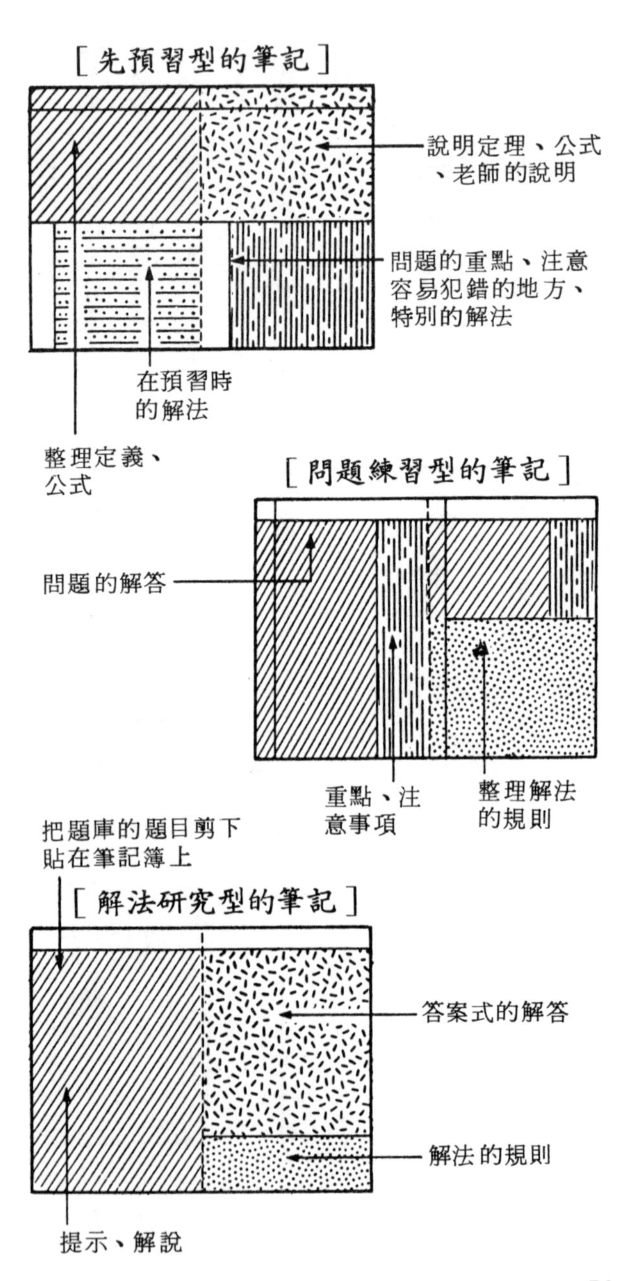
[先預習型的筆記]
說明定理、公式
、老師的說明
問題的重點、注意
容易犯錯的地方、
特別的解法
在預習時
的解法
整理定義、
公式
[問題練習型的筆記]
問題的解答
重點、注
意事項
整理解法
的規則
把題庫的題目剪下
貼在筆記簿上
[解法研究型的筆記]
答案式的解答
解法的規則
提示、解說

家參考。

〔先預習型的筆記〕　高中的數學比較難，如果不事先預習的話會跟不上老師的進度。預習時先把公式、定義等寫在筆記的左頁，而且儘量地多作些例題。把不懂的地方作上記號。如此一來，對於上課的內容應該不會有問題了。同時把老師所講解的問題、應注意的事項、特別的解法等，寫在筆記的右頁裏。

〔問題練習型的筆記〕　讀完教科書後，已經能過理解，就應該在筆記簿上多作習題練習。這時把筆記分成「號碼欄」「解答欄」「重點、注意事項欄」三部分。在號碼欄裏標記清楚題目出處的頁數和題號。留較大的空白地方給解答欄，在這裏用鉛筆作習題。在重點、注意事項欄裏把基本事項、公式、容易錯的重點等都蒐集在這一欄裏。上課時再利用原子筆來訂正錯誤的地方，複習時更可以把一些規則一併寫下筆記裏。

〔解法研究型的筆記〕　以兩頁爲一單元，研究具有代表性的問題。把題目寫在左頁，把提示、解法寫在右頁上。

148　養成對公式的直覺

公式是解題的道具，但是如果先擁有很多道具而不能靈活運用的話，那徒擁有這麼多道具。如果我們只是按照題庫集裏的解題方式來解答，這是機械式的運用公式而已，並不是眞正的有應用能力。

當我們使用公式時，要知道爲什麼要使用這個公式，什麼公式是最適當的，還有要用某一個公式，要具備那些條件，諸如此類的問題，在我們使用公式時就要一併加以思考。如此才能培養出使用公式的「第六感」。

149 開拓解題的方法

數學的問題不一定只有一種解法，有的從正面解，有的從中間開始解，或者有速解法、特別解法等。因此我們在作習題時，不要只知道一種解法，而是要多去開拓解答的方法，如此才能養成解答的理解力。

當我們爬山時有時也會意外地發現捷徑，作數學題目時也是一樣，但是如果我們只一味地去學參考書裏的特別簡易法，而不脚踏實地，那麼自己的理解力將會慢慢地變成遲鈍。

150　小心證明題的用語

數學的證明題和計算題不一樣，假使答案對了，可是途中有欠詳解的地方，照樣會被扣分。爲了要去發現缺陷的地方，而拚命對照教科書、參考書的解答，那要花費很多的時間。我們在作證明題時，最重要的是要上下連貫，因此像「因爲」「所以」「根據××」等詞句必須放在適當的位置。

如果這些詞句放在不適當的位置，那麼證明將無法成立。所以在作證明題時，一定要把理論的來由交待清楚外，同時要使上下能連貫。

151　天下無難事只怕有心人

數學的難題像高山一樣，考試時不知會出現多難的題目。剛開始不知道要準備那些「道具」來備戰。但是有一件事是必然的，縱使再難的題目也可能從頭慢慢地解出來，也就是說沒有征服不了的問題。

當我們遇到難題的時候，不可先失掉信心，應該先自我鼓勵，「再難的問題，總有解決之道吧！」如果還沒作就失去了信心，那確實是征服不了問題。所以「征服的信心」主導了成功與否。

152 提高成績的特效藥

在考前的二、三週，是最後衝刺的時期，誰都想利用這段時間，讓自己的心血有所結果。所以在這段時間一定要注意讀書的方法。是否能用最少的時間，得到最大的效果。數學這一科，所謂「準備好了」的程度，不但要解題正確而且速度要快。在練習教科書的問題或代表性的題目時，如果能把同一個題目，利用不同的方式來解，那麼一定可以具備又準又快的條件了。

第一次解題時，把教科書、題庫的題目之解題方法考慮一次，「爲什麼要如此解」。

第二次解答時，自己把同樣的問題再作一遍，如果作到一半不會作了，這時再回到第一

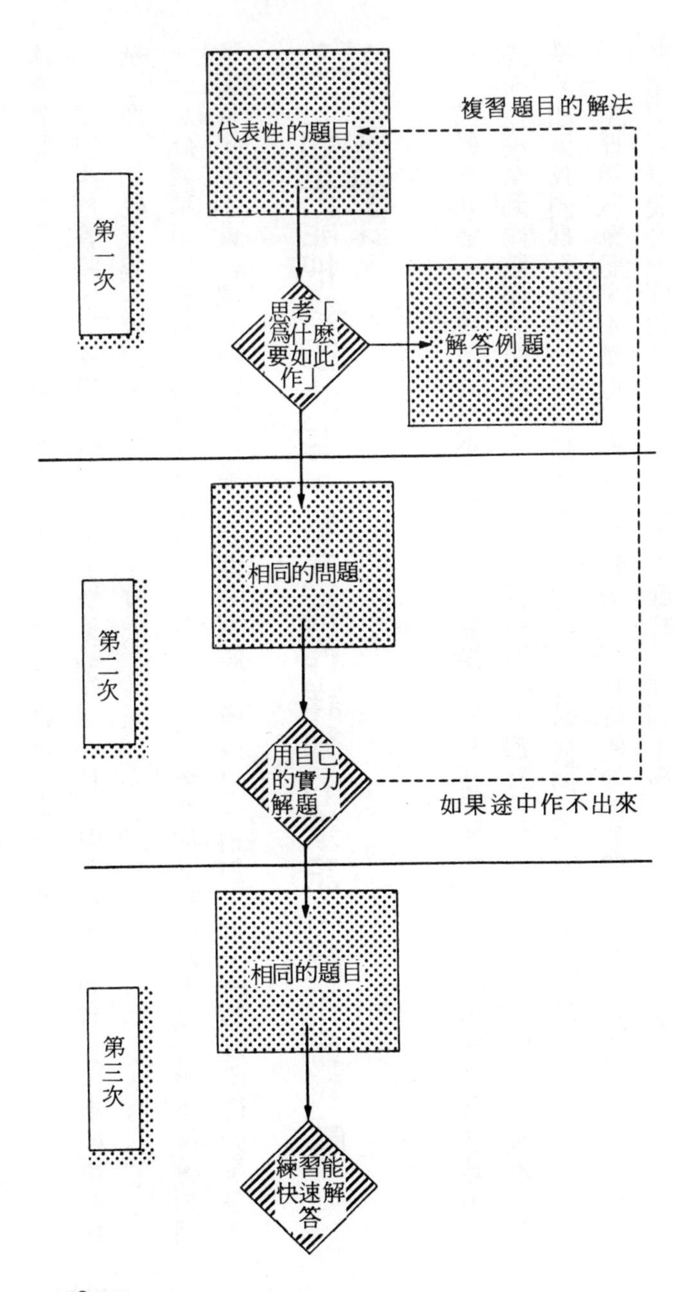
代表性的題目
複習題目的解法
第一次
思考「爲什麽要如此作」
解答例題
第二次
相同的問題
用自己的實力解題
如果途中作不出來
第三次
相同的題目
練習能快速解答

次解答時，再復習一次其解法。自己尚沒有能力作好題目之前不要再往前行。

第三次解答時，一邊計算時間，一邊快速的作完題目，與其用頭腦想解法，不如用筆在紙上作，如此反覆地練習，一定可以速度增快。

如此累積這些自我的訓練，一定可以抱著信心走向考場的，即使在考試時出現沒練習到的題目，也不會心慌。因爲練習過代表性的習題，所以只要稍加思考，應該就能得到解答。

153 如果能把數學的每一單元都作詳細的筆記，就不會討厭數學課了

我們都知道，有很多同學不喜歡數學，覺得數學是枯燥無味、無趣的東西。我想是這些同學還沒嚐到作數學的樂趣罷了。例如，每一單元，都有特定的數學用語和符號、基本事項等，如果我們事先把這些東西都作筆記，那一定會降低同學對數學的敵對感。

整理這些筆記，不僅可以提高數學實力，而且可使同學能明白老師上課的內容。因此這些筆記可以說是上課的秘密武器。如果上課時，遇到不懂的地方時，趕快翻一下筆記確認一

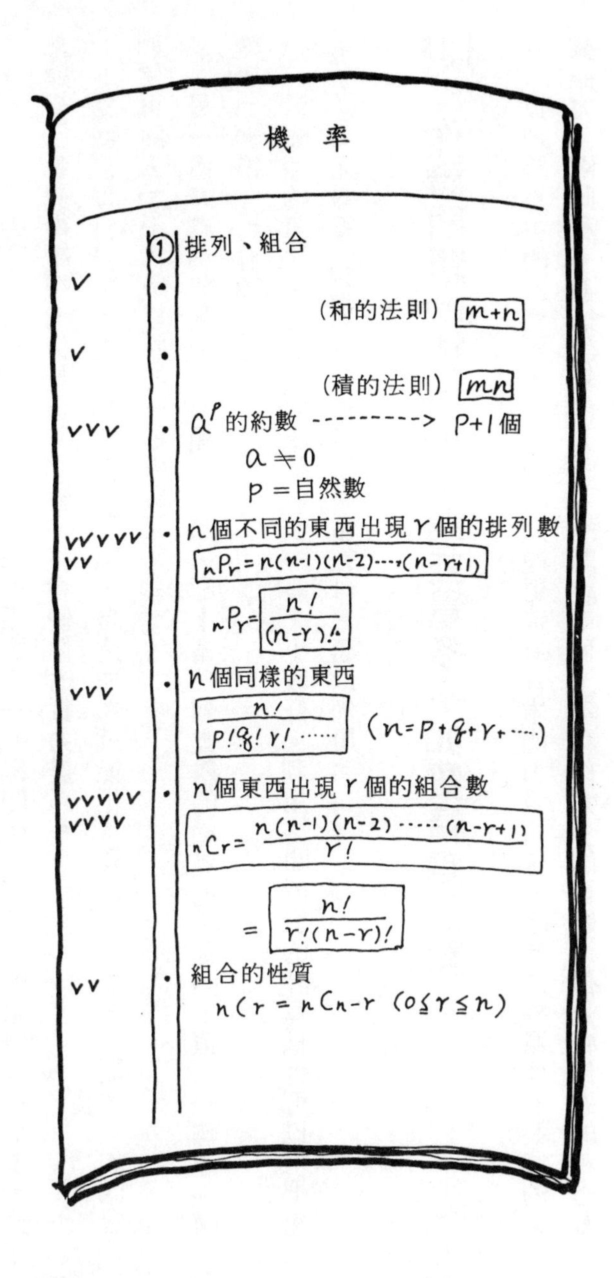
機　率
① 排列、組合
(和的法則) m+n
(積的法則) mn
a^p的約數 ---------> p+1個
a ≠ 0
p =自然數
n個不同的東西出現r個的排列數
${}_nP_r = n(n-1)(n-2)\cdots(n-r+1)$
${}_nP_r = \frac{n!}{(n-r)!}$
n個同樣的東西
$\frac{n!}{p!q!r!\cdots}$ $(n=p+q+r+\cdots)$
n個東西出現r個的組合數
${}_nC_r = \frac{n(n-1)(n-2)\cdots\cdots(n-r+1)}{r!}$
$= \frac{n!}{r!(n-r)!}$
組合的性質
${}_nC_r = {}_nC_{n-r}$ $(0 \leqq r \leqq n)$

下，同時也在筆記上作個記號，當成複習的重點之一。剛開始，筆記上的記號一定很多，雖然連自己都覺得厭煩，但是這些記號，將會使你的實力提高。

當我們每打一次記號，都能喚回記憶，自然而然就能把重要用語、公式熟記了。如此我們便可除去「不懂數學」的一道障礙了。

另一道障礙「無趣」也會漸漸地除去吧！當然對數學的感覺也會從「不懂」「無趣」轉變成「懂得」「有趣」吧！

這類型的筆記，最好是作成像口袋一般大小較好，利用坊間所賣的計算紙也可以，把每章、每單元的重點整理好，也可以夾在教科書裏以備用。

154 作證明題的技巧——與其量多不如質精爲重點

以理論爲主的證明題，比一般的問題更需有基本能力爲基礎，除此之外還要有較好的組織能力。因此和一般以計算能力爲主的問題不同，不必作太多的習題，但是每作過的練習都是要確確實實的。

如果同學能養成以理論來解題目的習慣，自然地就能養成在正確的順序下導出結論的思考能力。

剛開始練習時，可以一邊看教科書，一邊模仿，不僅只是要同學讀解答而已，同學還必須在筆記本或紙上作練習。

155 每個題目中都藏有解答的方法

每個題目的解答方法，都隱藏在題目之中，如果能好好地讀題，必定能發現其端倪。例如，遇到圖形的問題時，一邊了解問題的內容，一邊好好地畫圖，然後再來找解答的頭緒，在邊找解答時就能一點一點地把解慢慢求出來了。

在讀題時，要特別注意，題目所提供的條件，這好像是解答的道路指標。如果沒注意到這一點，不管同學如何努力去找尋解答，我想最後命運是——解不出答案來。

156 演算答案可以預防計算的失誤

「失敗為成功之母」這句話成語是同學常聽到的吧！在一次的考試中，因計算上的失誤，同學此時不必太悲觀，如果一直只記得考試的結果，那麼，失敗將不會成為成功之母。我們應該重視的是眞正失敗的原因是什麼？找出失敗的原因才是正題。

為了把失敗和成功結合為一，把到目前為止的考卷都取出來檢討，「怎麼樣的失誤較多」，確實地查一遍，或許可以查出自己常發生失誤的原因。再把這些題目每天都平均練習二十分，如此就能彌補自己的缺點了。

157 計算能力和作習題的多寡成正比

最近高中生的計算能力，越來越低了，我想那是因為在平常作習題的時候使用電算機的關係。如果考場能帶電算機還好，事實上考場上連有計算作用的電子錶都是禁止。

我們不能忽略計算能力，因為它是數學的基本能力。如果每天都訓練作習題的話，我想每一個人都能養成迅速確實地解答能力。如果比別人多作一題，自然會比別人更具有一分實力。但是要記住「欲速則不達」的教訓，計算能力是要靠平日的累積，而不是速成的，如果平日能默默耕耘，有朝一日數學的實力一定會大大地進步。

158 寫好數目字，可以預防計算上的失誤

考數學、理科時，有時候明明會作的題目，但因計算上的失誤，到頭來還是作錯。我想很多同學都有過這種經驗吧！所謂的「計算」，也就是加減乘除，或開平方根等！這些都是很簡單的東西，應該不會作錯才對。

而之所以會有失誤產生，其中之原因是寫數字的方法。例如同學常在急忙中常把1看成7，或者是把6看成9，而在演算中也很難發現其錯誤。

因此在寫數字時，不管寫的速度多麼快，都應該隨時注意字跡。所謂的「注意」是要平常就訓練自己寫正確的字跡，等考試時，在自然反射動作下，不用特意地去注意寫字，那字

跡也不會走樣。

我們可以利用廣告裏的數字來練習。

1 2 3 4 5 6 7 8 9 0

1 2 3 4 5 6 7 8 9 0

……………………………

像這樣試著每天練習三分鐘。剛開始寫三十行就可以了，如果習慣了可增加到四十行、五十行。

國文的讀書方法

159 查字典——增加語彙的方法

當我們在閱讀時，如果出現不懂的字，或詞句時，我們通常利用前後文的文意，也可以知道本篇的主旨是什麼。如果這個字出現很多次，可見這個字的重要性了，所以要馬上查字典，不要再等到以後再查。

知道這個字以後，也可以試著用這個字來寫日記，讓自己早一點對這個字有較深刻的印象。利用此方法，把單字變成自己的東西，是增加語彙的最好方式。

160 只要稍加用心，就能避免被扣分

考國文時如果寫錯字，或落了一個字、寫錯別字時，往往會被扣分數，所以當我們平時在作筆記時，就應該注意自己是否有這些情形發生。但是如果要仔仔細細地寫又要花費許多的時間，因此可以設一個語言欄，把自己容易用錯的字或句子寫在語言欄裏。

當一課結束以後，就在空白的地方把課本裡面特別的用字或詞寫出來。

161 抓住要點——作國文筆記的方式

國文科弱的人，如果能作筆記的話，也可以力挽狂瀾。

〔直寫式的筆記〕　國文的筆記和其他科目的筆記不一樣，因爲國文的筆記，用直寫的方式比較便利。通常在最上端留一條五公分的空白帶狀，在這裏寫上標題。在右頁的地方，先利用前二、三行來寫題目或作者。在預習的時候先查好語句的意思、要旨等，儘量參考活用字典或參考書，假以時日，自己的國文能力一定可以提高。把不懂的地方空下來，有疑問的地方用紅筆寫，上課時再把老師說的重點寫在「展開欄」（自己設的補充欄）。把疑問點的答案寫在預習欄的空白部分上。

［直寫式的筆記］

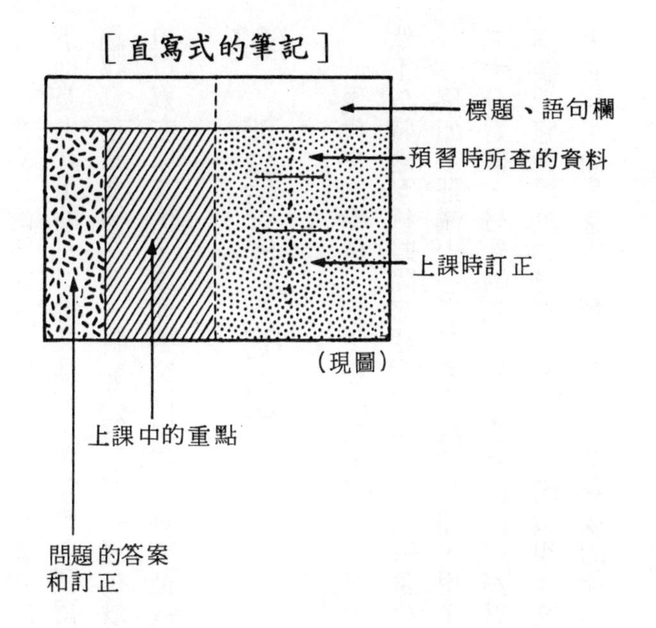

［橫寫式的筆記］

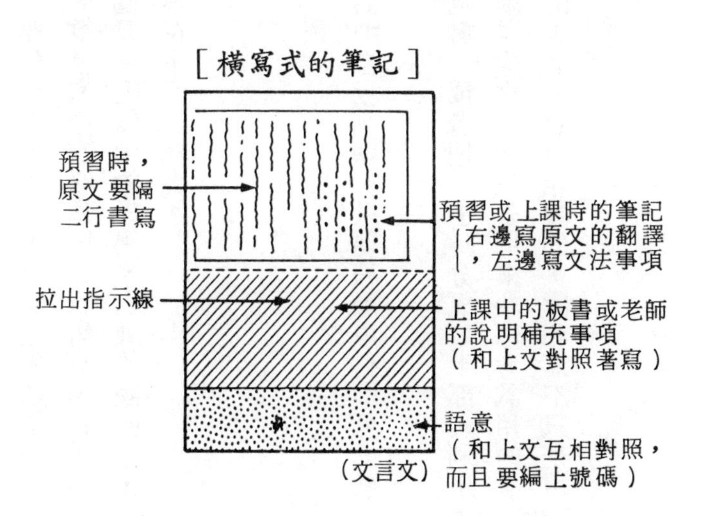

〔橫寫式的筆記〕　當我們使用橫寫式的筆記時，要分爲上下兩部，上面是預習用的，下面是上課用的。以古文爲例，當我們在預習古文時，欲抄寫原文必須隔二行書寫，自己的翻譯寫在原文的右邊。語意則編上號碼寫在最下面一欄裏。上課中的板書、老師的說明等，可以寫在原文旁，或從原文拉出指示線來把這些補充寫在下面一欄裏。

162　加强現代文的方法

現代文的學習，除了在課堂上以外，可以日常生活中自我訓練，只要稍加用心即可，雖然不必特地安排時間來學習但至少也要一個小時。

例如：把減少一小時看電視的時間，用來看報紙或書。或者把一小時分成二半部，利用三十分看書，另外的三十分用來寫日記或寫感想等。讀現代文並不只是用來準備考試用的，應該把它從學校的考試分離出來，因爲現代文和我們的生活是息息相關的，讀和寫不只是用來考試，而是身爲人類的我們必須養成的能力。

163 積極地參與課堂上的討論是提高現代文能力的第一步

如果要談現代文有那些重點，大概可分爲以下幾種吧：①讀解力、②語彙力、③表現力、④鑑賞力、⑤文法力、⑥歸納力。這些能力我們平常都能作到，如果要像別科那樣去查參考書或背誦的話，頂多只有文法需要如此而已。

其他的能力都可以從教科書、老師的講課、同學間的討論學來，當然也可從日常生活中學得。有些學生不注重聽講，事後才去查參考書，像這種情形不能說是學習的一種。我應該是積極地參與課堂上的討論，而且應該集中注意力在老師所問的問題或說明上。

164 每日一篇文章是治療現代文較弱的人之良藥

要提高現代文的實力，不用說當然要廣讀書籍，但是這個方法就像吃中藥一樣，藥效較慢。如果不早點兒克服現代文的弱點的話，不但會影響到對別科的理解力，或考試的作答能力。因此不能用慢慢的方式來解決。

因此這時候最好的特效藥是每天寫一篇文章。先從參考書裏的長問題回答起，然後再訓練寫文章，平常就作這種訓練，久而久之也就提高自己的實力了。

165 要培養鑑賞力，在課堂上先從聽別人說話開始

上國文課時，有時自己的想法和老師、同學都不一樣，這時一定感到很困擾。如果就以自己的想法來回答問題，不知道是否會被老師打「錯」，很多人遇到這種問題時都會感到不安吧！

但是一直扼殺自己的想法，那將變成沒有鑑賞力的人了。人類的想法大部分是主觀的，所以每一個都會認爲自己的想法是正確的。但是過度的盲從或過分地拘束自己的想法也不好。因此，我們不妨把自己的想法暫放在第一位，然後多聽別人的意見、想法、感覺，如此才能提高我們的鑑賞力。

166 用稿紙作寫文章的練習

考作文時，大都限制二百字到六百字不等。如果平常沒有篇幅的概念的話，寫起文章來不是寫得太長，要不然就是太短字數不夠。

要練習寫文章時，可以用稿紙練習，剛開始可以不考慮字數，當然寫作文的規則一定要遵守不可，例如題目要空幾格，開頭要空幾格。而且句讀要分明。

寫完文章後，大約要看一下篇幅，例如四百字、二百字、一百字，分別是三十行、二十行或十行，先有個概念後要刪減或增加才有個譜。

如果字數少了要如何增加，或者知道該刪掉那些詞句，在限定的字數內如何寫出最後的結語。諸如這些問題都必須靠平常的練習才能得到的經驗。

如果只靠自己的努力，作文是不能進步的，應該請國文老師幫我們糾正，是否把主題發揮得淋漓盡致了，還有文章的表現法、架構等，是否有需要改善的地方，老師改完後，再重新寫一遍，希望能和前一篇作一個比較。

社會科的讀書方法

167 依科目或老師的不同，作不同的筆記

像社會科，不會依老師的不同而教科書內容有所改變，因為社會科的內容大都是比較死的東西。但不能因為如此，就忽略了作筆記。

〔學習內容發展型的筆記〕 在筆記的左頁，把老師上課的板書、說明事項等條理分明地抄在筆記上。對照左頁上的資料，把參考資料、整理的補充資料等寫在右頁上。也可從報章雜誌上剪下有關的資料貼在筆記上。像這樣的筆記，並不光只吸收課堂上的東西而已，而是廣收各種資訊讓自己有更豐富的知識。讀社會科時，一定要讓自己吸收各種知識，如此才會比別人更具有實力，有心從事於此的同學，作這種型式的筆記，應該有所助益吧！

〔整理要點型的筆記〕 當老師的上課內容太過於詳細，而不知道從何處開始整理。這

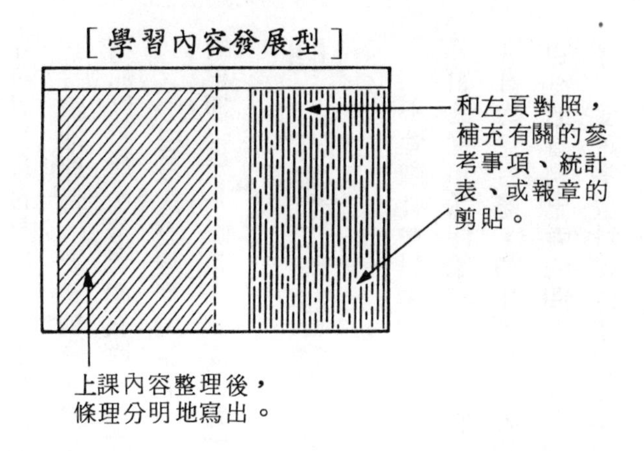
[學習內容發展型]
和左頁對照，
補充有關的參
考事項、統計
表、或報章的
剪貼。
上課內容整理後，
條理分明地寫出。

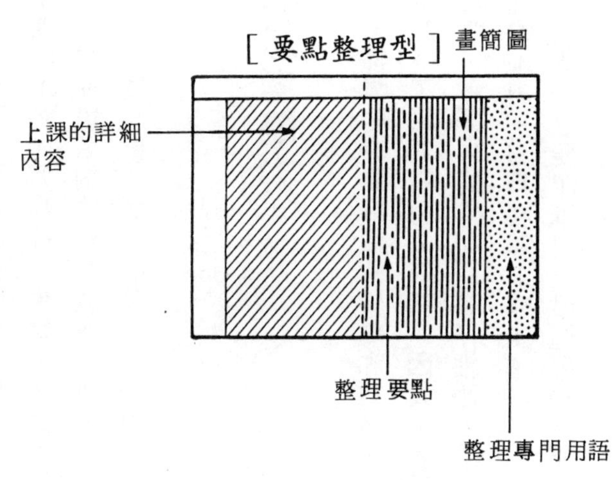
[要點整理型]
畫簡圖
上課的詳細
內容
整理要點
整理專門用語

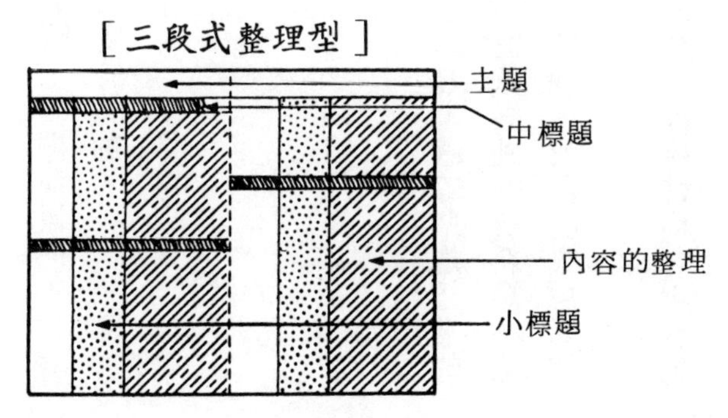
[三段式整理型]
主題
中標題
內容的整理
小標題

時候把上課的內容詳細地抄在筆記的左頁，再把複習時的重點整理寫在右頁上。

讀地理時，要畫地圖，把重要的地名、要項等一併寫上，讀歷史時，要把前後的年代表稍加以整理。或者如右圖一樣設一個專用名詞的解說欄，以供考試前便於背誦。

〔三段式整理型的筆記〕　把每頁都畫分為「主題」、「中標題」「小標題」、「內容的整理」。一眼望去就能一目瞭然。

168 培養出對社會科的思考能力

不管讀社會科中的那一科目，都需要蒐集很多的資料和要有思考能力，這二點是必備的。如果只知光作筆記，那麼將會忽略了思考能力的培養。因此，我們把蒐集到的資料寫在教科書的空白處，如此比較節省時間，省下來的時間用來仔細聽老師的講課，或自己來思考問題。把自己思考的問題或有疑問的地方，整理在筆記本上。

當然當教科書的空白處不夠寫時，也要作筆記。但這型的筆記是針對社會科稍有程度的人而言。

169 利用5個W1個H，抓住每個重點

5W是指：what，when，where，why，who　。而H是指How　。二者合加起來就變成5W1H。這是整理歷史重點的最佳方式。但是使用起來有時會混淆掉了。

因此要整理某項目時，把重要的5W1H選出來，然後再把詳細內容寫出來。除此之外如果還有其他重點時，再加上去。因此我們整理內容時一邊寫一邊想「還有什麼可以整理的呢？啊！有了……」，如此一來不但輕鬆地可以整理好重點，而且複習時也很有系統，又方便。

在寫5W1H的內容時，應該先把內容整理過，如此才有效率，而且條理分明，背誦起來也方便多了。

170 如果要加强歷史實力，先從「讀破課本」開始

雖然把歷史的年代背得滾瓜爛熟，事實上並沒有很大的效益，讀歷史最重要的方法是，先不要去記小事件，而要把歷史的整個來龍去脈弄清楚。歷史科一直被認爲是必須「死記」的科目，但是我希望同學能改變這種想法，重新給歷史科下定義，把它視爲「思考方式」的科目。

因此，現在讀歷史時先拔除「死背」的觀念，放輕鬆地精讀第一頁到目前所教的地方。把重要的地方用鉛筆作記號。試著去思考每章節的突發事件，和發生的原因。對於每一事件一定有它的原因、背景，如果能一一去了解它的因果關係的話，我們會感覺到「歷史它不是死背的科目，而是思考的科目」。

這時，在依我們所知道的資料來作每章節的筆記。因此我們就可以很清楚地知道全體和部分的關係，而且對整個歷史的事件、歷史背景，一目瞭然。但有時我們會找不到作筆記的主題，此時不用太注意這些，只要自己是一邊思考一邊進行看書的進度就可以了。

只要我們能對歷史有清楚的概念，自然而然就知道那些是重要的、該背的，那些是不重要的。這時候再把重要的地方整理後作筆記也可以。

171 輕鬆背歷史的方法——印象法

幫助記憶的方法之一——印象法。當我們要記一件事情時，先把整個有關連的事件一一連想一遍，這是加強頭腦印象的方式。用這種方法來讀歷史，可以說是獲益良多。

雖然教科書或參考書，常附有關事件的插圖，或者對事件本身都有詳細的講解，如果再經過自己用頭腦仔仔細細地想一遍，我想比較容易能喚起印象。

172 倘無正確地使用人名、國名、及歷史用語，會造成失敗的原因

很多人一看到敍述式的答案時，不知是因爲被答案所誤導，或者平常讀書方法錯誤，往往會寫錯人名，或國名。是否能正確地使用歷史上的用語，也被視爲扣分的標準。所以有時往往一些小失誤，而造成分數的差距。

所以平時我們讀書時就應當注意這些小細節。區別清楚容易混淆的人物，還有人物的國名、時代等問題。有時候因爲不注意小地方，而沒辦法得高分，即使重要的地方都寫得很充分，那也是無濟於事。

173 歷史的年號要記多少？

一談到歷史，就會想到年號，因此很多人就拚命去記年號，這像是在浪費時間。

對於基本的年號只要確切地記住，那麼，前後有關係的事件的年代自然而然可以推算出來了。

所以年號不用記太多，只要記住重要的就可以了。

如果二百是代表英文的單字，那似乎並不是什麼大不了的問題，如果它是代表年號的話，那麼每個同學都會得到年號恐怖症吧！

174　作分類別作筆記

讀歷史除了要了解各個事件、人物之外，更要抓住整個歷史的來龍去脈才能提高歷史的實力。就像政治史、經濟史一樣依照每個題目來作分類筆記及年表。

例如世界史就作「各歐洲諸國的發展比較表」、「東西方交流史」、「英國史」等。如此一來，整個歷史的流程就能深刻地記住了。

175 針對考試的類型作練習

大學聯考常出現的試題，例如「對某某事件的論述」等，如果要考取高分，只記憶一般的知識是不夠的。應該將平常自己所思考的、蒐集到的資料加以補充才足夠，因此平常就應該作筆記。筆記的左頁留給上課時用，右頁專門用來作論述練習。

首先，確定主題，然後依「目的」、「原因」、「結果」、「影響」、「意義」、「關係」、「特色」，等依次述說，當然還要加上自己的思考資料，這樣的練習才有實際的效用。

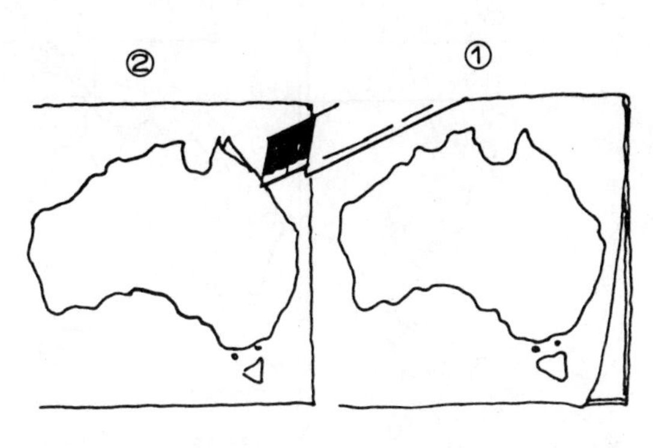

把描圖紙放在地圖上面，再把圖形描繪下來，貼在厚紙板上

用刀子把地圖割取下來

176 製作簡略的地圖

在地理、歷史的筆記裏，儘量繪製有關的地圖，然後把必要的事件、時間記載在地圖裏，這樣比讀課本的文章更容易了解。這就好像我們利用電腦找資料一樣，只要敲一個鍵，銀幕上就會顯示出所有的資料。作簡略的地圖也是一樣，把複雜的內容，變成一目瞭然。

但是畫地圖的過程稍微麻煩一點，就像作洋裝一樣先要打樣板。

製作地圖的方法，是將地圖描在描圖紙上，再把描圖紙貼在厚紙板，再把圖形剪下來，較小的島嶼等則省略，等以後再用畫的。地圖

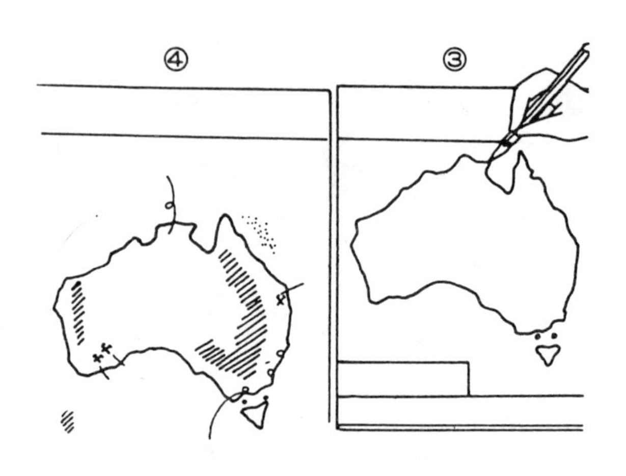

用鉛筆把地形的輪廓印在筆記本上

把重要的地點、山、河塡入地圖裏

的大小，儘量配合自己的筆記本，以能貼進去爲原則。

如果一直依賴紙型畫地圖也不好，可以自己用手畫畫看，因爲經過多次的練習後，應該有印象才對。

177 看電視讀地理的方法

研讀地理的重點，要注意產業、經濟及現實社會的動態，且要把握其地理上的位置關係，不用說同學一定都知道。

現在的電視或報紙經常出現教科書、參考書內的教材，同學可以利用這些機會再去查一下地圖，加深自己的印象。

有時候我們來不及一一地去查閱，因此最好是使自己多接觸地圖，讓地圖的印象深深地刻在腦海裏，那就不必去查閱了。

或者在牆壁上掛上世界地圖，馬上就可以查閱到地名了。

其實我們的生活周圍到處都有地圖，只是我們沒察覺到罷了，例如，在父親的車內就有街道地圖，旅行時也可以發現時刻表上也印著地圖。

有時並不要特地安排時間去讀地圖，只要我們稍微注意一下周圍的環境即可。

178 提高地理實力的方法——剪下報紙上的資料

在每天的報紙上有很多活生生的地理資料，例如統計的數字，和內容的解說，但有時因爲資料太多致使無法取捨。

爲了避免這種情形發生，在我們選擇資料時，以一眼就能明白的資料爲原則，這種資料我們才把它剪下來。還有，也可以把附有地圖的資料一起剪下來，因爲一旦附有地圖，正表示事件本身的重要性。

因此，當我們每天看報時，首先要注意是否有關於地理上的資料，也許每天大約都有數件吧！而且我們可依內容的不同分類爲產業地理、經濟地理、交通地理等部分。

我們每天都依自己的「問題意識」找出各種類型的資料，久而久之，一定能提高自己的地理實力。因此，如果我們要作筆記的話，也應該把各類型的資料分別貼在不同屬性的筆記簿上。

理科的讀書方法

179 製作理科筆記的方法

依照不同的科目製作不同的筆記，作理科的筆記也不例外。

〔綜合型的筆記〕　這一型筆記的作法，是適合於物理、化學、生物、地理等科目的。首先，先把大標題寫上去，讀完教科書後，把整理好的新詞句、疑問點寫在筆記本的左頁，而把老師上課的內容、板書寫在右頁，老師所講解的內容要經過整理後再抄上去。例如「爲什麼會變成如此呢？」像這樣的問句後，再把老師的講解寫在後面。而且，遇到實驗性、觀察性的課程時，儘量舉例說明，也就是說儘量俱體說明，往後要作複習時再把參考事項、要點再補充進去。

當我們要作問題練習時，從下一頁開始作比較好。

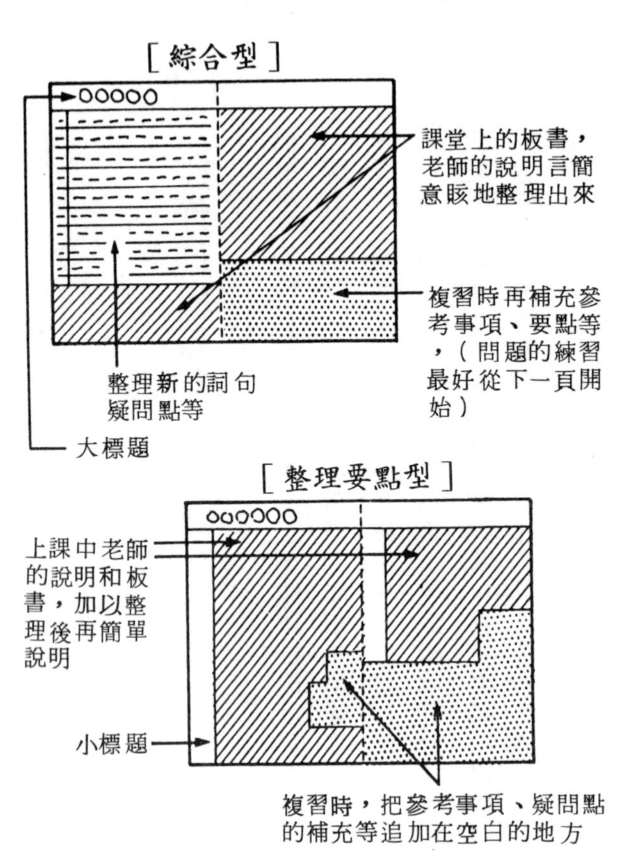
[綜合型]
○○○○○
課堂上的板書，
老師的說明言簡
意賅地整理出來
複習時再補充參
考事項、要點等
，（問題的練習
最好從下一頁開
始）
整理新的詞句
疑問點等
大標題
[整理要點型]
○○○○○○
上課中老師
的說明和板
書，加以整
理後再簡單
說明
小標題
複習時，把參考事項、疑問點
的補充等追加在空白的地方

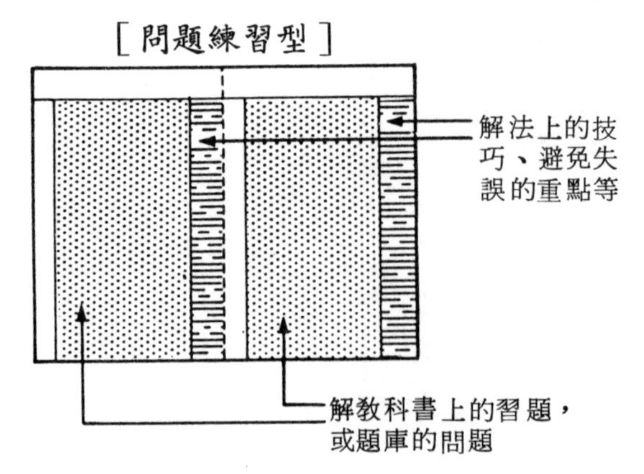
[問題練習型]
解法上的技
巧、避免失
誤的重點等
解教科書上的習題，
或題庫的問題

〔整理要點型的筆記〕　這一類型的筆記作法，適合於生物、地理科目。也就是適合知識內容多的科目。當然也適用於化學科。這類型的筆記不用設預習欄。從頭開始，就把老師的講解說明、或老師的板書，用言簡意賅的方式整理出來，在復習時，才把參考事項寫在空白的地方，或者再補充問題的說明。每頁的左邊空出二～三公分，作爲備忘欄，隨時可以補充新的資料。

〔問題練習型筆記〕　此類型筆記專門用來作習題，可以和課堂上的筆記併用。在各頁的右邊空出五公分左右，用來整理公式、避免失誤的重點、解法的技巧等。

180 會對理科發生興趣的方法——問、答欄

理科的教科書裏，比較困難的問題，也都是以簡單易懂的方式表現出來。讓同學能夠接受，我想同學都明白這一點吧！而這些困難的問題是經過長久的歲月及不知累積多少學者失敗的經驗而成的。所以當我們遇到問題時，能嚐試著去解開其疑問，解開疑惑的過程才是理科有趣的所在，亦是理科的最終目的。

在一小時的上課中，至少要發現一、二個問題，即使無聊的問題也沒關係，然後自己學著去找資料來解答，或者去請教老師，把得到的答案寫在筆記本上。如此自己的理科程度也會提高。

181 只喜歡實驗而不喜歡理論，不能提高實力

很多人對於課本的文章內容不感興趣。但卻喜歡實驗。同學之所以對實驗有興趣是把實驗用品當作魔術遊戲一樣，如果同學是抱持這種態度的話，理科是不會進步的。

理科的實驗目的是用來印證文章所敘述的

內容，以及用來證實理論是否成立。或者是讓同學自己親身去感受大自然的奇妙。因此我們不能對文章和實驗各有所偏好，如果對二者之一有所偏好的話，那將不能提高理科的分數。
因此，實驗筆記（學校所指定的實驗作業簿）、實驗報告（自己記載自己實驗的結果）裏要把課堂上的理論、原理也要仔仔細細地寫清楚比較好。

182 生物、地理的圖解、表格等，與其用看的不如親自製作

學習生物的重點在於圖片解剖，因此圖解對於生物是非常重要的，所以光用眼睛來看，不能留下深刻的印象，最好能試著親自動手作。若是要作筆記時，最好利用方格紙的筆記簿，而且以一頁爲一個圖形爲原則，最好圖形能畫大一點比較好。而且必須把教科書的內容整理後加以補充上去。

在地理科方面，在前面我們也經常談過，在這兒我就不再多言了。

183 想要擁有化學、生物的基本基礎——作簡單的用語筆記

讀化學時，會遇到許多符號、化學特有的用語等，因此對於元素記號、週期率、分子式、構造式、化學反應等項目，事先把這些項目抄在筆記本上，需要時可以隨時拿出來查閱，而且筆記的大小最好以能裝入口袋爲主。如果能善於利用這本「化學小字典」的話，再難的化學式子、專門用語等，都能運用自如。

在生物這科裏，也常出現化學的符號和化學的式子，所以這本「化學小字典」也適合於生物科裏，有一石二鳥之效。這本筆記並不是一次就可以作完成的，而是需要慢慢地補充。

184 把化學名稱當作英文單字來背

化學記號本來是用來表示複雜的化學物質的簡稱，本來是爲了方便，但是簡略化後却失去了物質原有的特徵，以致於不能從簡稱看出是什麼化學物質。而且好像這些簡稱似乎都很類似，要記起來可不是輕鬆的事。

若要克服這些困難，唯一的辦法是反覆的使用它。也就是說把化學物質的記號當成英文單字來背，甚至可以運用在日常生活裏，例如「鹽」的話，就以「Nacl」來背。如此便能很熟識每個化學名稱了。

185 要加强化學計算能力的話，教科書、參考書的例題是最適合

化學的計算題，在乍看之下非常的複雜，但仔細一研究，它所運用的理論、法則却是非常簡單而且是基本的公式。但是化學科弱的人，如果看到複雜的題目就已經退避三分了，那裏還會想要去解決它。

因此，這些同學最好能多作課本、或參考書上各項別其開始所舉的例題。進而再作有相關性、複雜的問題。如此反覆地練習，解決了模稜兩可的觀念後，化學的計算能力自然會提高。

186 要增强化學的理解力，就要認清專門用語的意思

聽說，對於化學非常困擾的人，通常有一個共同點，那就是在教科書、參考書內常出現

的專門用語，例如「原子量」、「原子價」、「規定度」等，不能眞正的明白它們的眞意。有時甚至會弄不清楚它的專有名詞。

而化學這門科學，都是由這些基本概念，反覆運用而產生的科學。所以如果不能徹底弄清楚這些基本名詞，那對化學的理解力就無法提高。

187 查出化學、物理上的專有名詞的原文，可以避免混淆

元素記號H，它的原文是Hydrogen（水的意思）。銀是用Ag來表示，它拉丁文的原文是Argentum，把A和g結合而成Ag。而代表水銀的Hg是用水的H，和銀中Ag的g結合而成的，如果我們能明白這一點的話，就不會把銀和水銀搞混了。雖然這些記號看起來非常枯燥無味，但是却非常的重要。

對於表示量的記號，例如F＝ma，F＝forec（力），m（質量）＝mass。A＝acceleration（加速度）。像這些記號如果在字典上查不到的話，可以問老師。

188 提高計算能力的方式

在作物理、化學的計算問題時，一定要很清楚知道，要使用那些公式。至於答案是否正確先不考慮，因爲同學如果使用正確的公式，只要計算的過程小心一點，必能求得正確的答案。

因此，在作習題時，讀完題目後，先考慮考慮要用那些公式，再對照一下答案欄的解答是否正確。如果正確的話再繼續作下去。

這個方法是用來訓練自己提高計算能力的最好方式。

189 與其加強複習不如加強預習

物理科弱的人，應該用什麼樣的態度來面臨物理課呢？在上課時，公式的導論、法則的意思，是否眞能裝進腦子裏呢？很多同學都抱著「回家後再複習」的觀念，抄一抄黑板上的重點就回家了。這些人完全忽略了一點，就是回家後是否能完全理解上課的內容?因此，物理對這些同學而言，越來越沒興趣，也越來越弱了。

爲了要改變這種情況，應該改變讀書的方式，也就是加強預習的工作，把不懂、有疑問的地方先作好記號，上課時再特別注意自己不懂的地方。

190 化學、物理科，最好作條理式的筆記

上化學課時，老師上課的速度比放高射砲還快，一下子公式一下子物質的特性，一下子又是化學變化，如果同學課前沒預習的話，一堂課下來，一頭霧水，誰是誰都搞不清楚，再加上回家後不知怎麼複習，那以後上課的情形更糟了。

所以上這種課時，首先把老師上課講過的內容分成第一類型、第二類型……，而每大類型再細分成第1小點、第2小點……。條例式的列舉出來。如果每一小點裏都還有內容敍述則再細分爲(1)(2)……或(a)(b)……等小項。把複雜的一堂課的內容全部清晰列出。

條理化的筆記不但複習時方便，有時忘了其中一小項目時，還可以先回想前後的關係，

就會想出這一項的內容了。

191 物理的單位，最好有系統的列出表格來

在物理科裏有很多的單位名稱。例如力的單位有MKS和重力單位，如果MKS中的運動法則$F=ma$。但F用N代之、m用kg代之，則$a=m/s^2$。

而重力單位裏，有質量和重量，一公斤的質量，它的重量就有一公斤重（一公斤相當於九・八N）。

像這樣的說明，如果用表格來顯示的話，就不覺得那麼複雜了，而且也利於背誦記憶。

運動的法則	力＝質量×加速度 $F=m\cdot a$		
MKS系	N 牛頓	Kg 公斤	m/s^2
重力單位	Kgw（公斤重）	Kg 公斤	

1 KgW = 9.8N

國家圖書館出版品預行編目資料

事半功倍讀書法 / 王毅希編著；
－2版－臺北市，大展，民88
面 ； 21 公分 －（校園系列；17）
ISBN 957-557-940-2（平裝）
1. 閱讀法 2. 讀書

019 88009410

事半功倍讀書法

ISBN 957-557-940-2

編著者／王 毅 希
插 圖／俞 家 燕
發行人／蔡 森 明
出版者／大展出版社有限公司
社 址／台北市北投區（石牌）致遠一路2段12巷1號
電 話／（02）28236031‧28236033‧28233123
傳 真／（02）28272069
郵政劃撥／01669551
網 址／www.dah-jaan.com.tw
E-mail／dah_jaan@pchome.com.tw
登記證／局版臺業字第2171號
承印者／國順文具印刷行
裝 訂／協億印製廠股份有限公司
排版者／千兵企業有限公司
初版1刷／1993年（民82年） 5月
2版1刷／1999年（民88年） 9月
2版4刷／2004年（民93年） 4月

定價／200元